En vieillissant
les hommes pleurent

Du même auteur

La Nuit dépeuplée, Plon, 2001.
Le Sacre de l'enfant mort, Plon, 2004.

Jean-Luc Seigle

En vieillissant les hommes pleurent

suivi de

L'Imaginot

roman

Flammarion

ISBN : 978-2-0812-5761-0

à Alexis Lahellec
Pour m'avoir rouvert le chemin vers les années 1960

à Jeanne et Ulysse
Pour m'avoir accueilli dans leur vie comme leur enfant

à Françoise Verny
Pour lui avoir si longtemps désobéi

« Un ouvrier c'est comme un vieux pneu,
Quand y'en a un qui crève,
On l'entend même pas crever. »

Jacques Prévert, *Citroën. 1933*,
poème en soutien à la Grève des ouvriers

9 juillet 1961

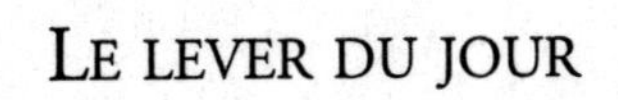

Le lever du jour

Il faisait déjà une chaleur à crever. Nu, écrasé sur son lit, les yeux grands ouverts, Albert Chassaing appuya sur le bouton du ventilo en plastique bleu posé sur la table de nuit. Une impression d'air et de fraîcheur. La sueur se refroidissait sur son visage, sur son torse et sur ses cuisses. Il respirait enfin. Albert travaillait « au noir » chez Michelin, à la gomme des pneus, la gomme en fusion qui venait des hévéas de l'Indochine perdue, qui puait et qui les étouffait les uns après les autres ; l'air brassé par le ventilo venait à son secours, mais, à force de vibrer sur sa peau, il finit par lui rappeler l'existence de son corps. C'était insoutenable. Ce corps que Suzanne ne sollicitait plus depuis longtemps. De toute façon, il n'arrivait même plus à bander. En finir le libérerait de tout ça. Albert ne pensait pas à mourir, il avait juste le désir d'en finir. Mourir ne serait que le moyen.

Ce n'était pas la première fois qu'il se réveillait avec cette idée en tête. Y avait-il plus de raisons de le faire que les autres jours, ou seulement quelque chose de plus apaisant ce matin à se laisser envahir par cette idée ? Quand ça avait-il commencé ? Y avait-il eu un temps dans sa vie où ça n'avait pas été en lui ? Peut-être, après la mort de son père quand il s'était retrouvé seul avec sa mère et sa petite sœur. C'était si loin. Il avait quinze ans. C'était en 1923. Et nous étions en 1961. Des joies, Albert en connaissait encore, des petits bonheurs de rien du tout, des impressions fugaces et impartageables. La rosée qui exhale l'odeur de la terre. Il n'aimait rien plus que cette odeur préhistorique quand il rentrait de l'usine le matin très tôt après une nuit dans l'enfer des pneus. Le chant des oiseaux ressuscités après l'hiver dans le cerisier, ou encore cette façon que le vent a de transformer un champ de blé en houle jaune et sèche. Il aimait tous ces minuscules plaisirs et d'autres encore que Suzanne n'aimait pas, avoir les ongles noirs, transpirer comme un bœuf et sentir l'odeur des vaches et du fumier. C'était la première fois qu'il pensait au bonheur en même temps qu'à l'idée d'en finir. Peut-être parce que ce désir de la fin était ancré en lui depuis très longtemps, comme une balle qui se serait logée dans son corps sans le tuer. Il avait connu un gars, Armand Delpastre, qui avait longtemps vécu avec une balle allemande dans le cerveau et qui disait tout le temps « Moi, le métal, ça me connaît ! », puis il partait d'un grand éclat de rire laissant apparaître toutes ses dents en or. Un marrant, ce Delpastre. Tout alla bien jusqu'au jour où la balle, en temps de paix, acheva sa trajectoire ; un seul millimètre suffit pour le tuer dans son sommeil. Chez Albert, la balle imaginaire s'était logée tout près du cœur.

La photographie de son mariage accrochée au mur, en face du lit, l'aida à fixer son attention. Dans sa robe blanche qui tombait autour d'elle en colonne, Suzanne ressemblait à une vierge ancienne avec sa petite gerbe de glaïeuls blancs et d'asparagus qu'elle tenait comme un enfant dans ses bras. Vingt-deux ans plus tard, elle dormait encore profondément à côté de lui, peut-être même qu'elle rêvait. Le jour se levait à peine. Ça sentait encore la nuit. Il pensa à sa vieille mère dans la chambre, de l'autre côté du mur qui avait encore passé une nuit blanche. Il pensa à Gilles qui s'était sûrement endormi sur un livre, repu de lecture, comme un nourrisson sur le sein de sa mère. Il ne pensa pas à son fils aîné en Algérie.

Albert faisait partie de ces ouvriers qui vivaient encore dans les villages, aux alentours de Clermont, ceux qui prenaient le car tous les soirs ou tous les matins pour aller chez Michelin ; tous nés paysans, mais qui n'avaient pas eu d'autre choix que d'abandonner leurs terres pour gagner un peu mieux leur vie et celle de leur famille à l'usine. Ça avait nourri leurs ancêtres pendant des siècles, mais ça ne les nourrissait plus, eux. C'était un mystère. Il restait malgré tout un paysan, et avait toujours tenu à marquer cette différence. C'était pour ça qu'il partageait bien volontiers son casse-croûte avec les copains à l'heure de la pause, surtout la charcuterie qu'il avait faite lui-même. Son jambon était réputé dans toute l'usine, et les félicitations qu'il recevait, à chaque fois, valaient tous les compliments de son contremaître sur sa cadence. Après ses huit heures d'usine, Albert n'avait pas de plus grande satisfaction que de redevenir un paysan et cela même si le travail de la terre rognait sur ses heures de sommeil. L'hiver, quand le froid et le mauvais temps l'empêchaient d'être dehors, il réparait des réveils dans un petit atelier qu'il s'était installé dans son garage, un appentis qu'il avait construit sur le côté de la maison. Sa passion pour l'horlogerie venait d'un phénomène qui le fascinait depuis toujours, à savoir qu'une montre ou une horloge arrêtée ou même cassée donnait, au moins deux fois par jour, la bonne heure. D'après lui, seule l'horlogerie était capable d'un tel prodige, à la différence de n'importe quel autre mécanisme qui, une fois endommagé, ne servait plus à rien.

Il pensait qu'un homme devait tout savoir faire : réparer, construire, cultiver son champ de pommes de terre, s'occuper de son jardin dans lequel il faisait pousser, aux côtés des légumes, des dahlias jaunes et des glaïeuls rouges pour que sa femme puisse faire des bouquets ; élever des bêtes pour les manger, surtout un cochon, même si cette année il n'en avait pas élevé puisqu'il restait encore deux jambons entiers qui séchaient toujours dans le grenier, depuis que Suzanne leur préférait le jambon blanc qu'elle achetait à la charcuterie de Saint-Sauveur. C'était rien, cette histoire de jambon blanc, mais pour Albert ce fut le premier signe de résistance que sa femme opposa au principe qu'il avait toujours déclaré : la nourriture, ça s'achète pas.

Et même si la cuisinière à bois avait été reléguée au fond du garage et ne servait plus qu'à faire cuire les conserves, Albert coupait encore plusieurs stères de bois par an. On ne sait jamais ! Il suffirait d'une nouvelle guerre mondiale dont il craignait encore l'éclatement entre les Russes et les Américains et ils seraient tous de la revue ! S'il méprisait régulièrement de Gaulle à cause de cette idée stupide du remembrement des terres agricoles bien plus que pour son obstination en Algérie, il faisait encore moins confiance au jeune Kennedy et au vieux Khrouchtchev. Si le pire devait arriver, il voulait être prêt à l'affronter. Il avait bien affronté les Boches vingt-deux ans plus tôt, ça ne pouvait pas être pire. Mais, cette fois-ci, il ne ferait confiance qu'à lui-même.

Il n'avait jamais parlé de ses années de guerre, ni de la défaite militaire française, et encore moins de ses quatre années et demie de captivité en Allemagne. D'ailleurs personne ne lui avait rien demandé, pas même sa femme. Cinq ans perdus dans le brouillard de la guerre et la lande allemande ! Et tout le monde s'en foutait. Pire ! On rigolait encore de l'armée française et de sa ligne Maginot. Il avait l'habitude de ces ricanements sauf qu'avec le temps ils étaient devenus de plus en plus tranchants, des éclats de rire comme des bris de verre qui lui tailladaient le cœur. Dès son retour de captivité, il lui fallut peu de temps pour comprendre que, si le monde avait été dévasté en son absence, son monde à lui, à Assys, ne ressemblait plus à celui qu'il avait quitté fin 1939, pas seulement pour des raisons évidentes liées à l'Histoire, mais parce que Suzanne avait mis au monde leur premier fils. Henri avait presque cinq ans quand il put le prendre dans ses bras pour la première fois ; sa joie de père dura le temps qu'il soulève son garçon de terre et que l'enfant se mette à hurler. Jamais il ne réussit à retrouver le chemin vers ce premier né. Sans la présence de sa mère à son retour, il n'aurait jamais réussi non plus à rétablir sa position dans sa maison. Ça, il en était sûr. À cette époque, Madeleine Chassaing était encore vaillante et dominait la famille ; aujourd'hui, elle n'était plus qu'une ombre sèche ne pouvant plus rien faire seule, pas même se laver. Elle retombait en enfance, et dans cet abîme où son être tout entier glissait, sa vie disparaissait peu à peu au point d'effacer le souvenir des enfants qu'elle avait mis au monde. Tous les jours, Albert constatait à quel point sa mère l'oubliait et pourtant, face au désastre de la mémoire maternelle, le désir de quitter la vie lui donnait, étrangement, le sentiment d'être encore vivant plus qu'aucune autre chose dans sa vie.

Impossible de rester allongé plus longtemps. Il coupa le ventilo et sortit du lit en prenant soin de ne pas trop faire de bruit. Ne pas réveiller Suzanne. Dans son sommeil, elle avait retiré le drap et dormait presque nouée dans sa combinaison blanche remontée sur ses cuisses de nageuse. Il s'attarda sur la combinaison, incapable de savoir si elle était en soie, en crêpe de chine, en georgette ou en satin. Juste des mots qu'il avait entendus. Il ne savait qu'une chose, ça brillait. Le monde des dessous féminins lui apparut soudain un vaste territoire, inconnu. Avait-il une seule fois déshabillé sa femme, senti les tissus de sa robe, de sa combinaison, de ses sous-vêtements, sous ses doigts ? Non, jamais. Il avait toujours attendu qu'elle le fasse elle-même et qu'elle vienne le rejoindre dans le lit. Lui, il aimait la peau.

C'était sûr, il allait encore faire une chaleur à crever ! Le mot crever réussit même à le faire sourire. Les premiers rayons de soleil enflammaient les feuilles déjà brûlées du cerisier, les oiseaux chantaient pour saluer la naissance du jour. C'était beau ce cerisier qui chantait et jaunissait en plein mois de juillet. C'était beau, mais ce n'était pas normal. Rien depuis la sortie de l'hiver n'avait été ordinaire, il n'y avait jamais eu autant de haricots verts, de petits pois, de fraises, de rhubarbe, de navets, de courges, d'épinards et de cerises. Tout le monde s'était réjoui de cette abondance, sauf lui. La cuisinière à bois n'avait cessé de ronfler depuis le milieu du printemps, et Suzanne en était à plus de deux cents bocaux de légumes, autant de fruits au sirop, et cent cinquante-trois pots de confitures. C'était bien, il le reconnaissait ; mais, au fond de lui, il n'aimait pas plus l'abondance que la pénurie. Il savait que la terre devait rendre à hauteur du travail et de la sueur qu'elle avait exigés, ni plus, ni moins. Alors quand le cerisier que son grand-père avait planté se couvrit de cerises au point de rassasier en deux semaines et les hommes et les oiseaux, Albert fut le seul à comprendre que l'arbre n'allait plus tarder à mourir.

En dehors de toute cette abondance, Albert était surtout inquiet pour son second fils. Gilles n'était pas comme eux. « Pas comme eux » ne s'étendait pas à l'ensemble du monde connu mais juste à lui, à Suzanne et à son fils aîné. Pas seulement à cause du goût que cet enfant avait montré très tôt pour la lecture, dans une famille où personne ne lisait, juste parce qu'Albert ne savait pas ce que cet enfant allait devenir. Lorsqu'il pensait à Gilles dans le futur, ça le propulsait dans un espace pas plus hostile que ça, mais qu'il ne maîtrisait pas. Ce fut pire après avoir rencontré son institutrice, la semaine passée. Elle parla dans tous les sens, mélangeant à ses projets de vacances ses commentaires sur le travail scolaire de Gilles, l'absence de Gérard Philipe au Festival d'Avignon, sa fatigue, sa passion pour le TNP et surtout pour la tragédie. Elle était servie : cet été-là, on jouait *Antigone* ; pas n'importe quelle *Antigone*, l'*Antigone* de Sophocle. Ah ! Sophocle, Monsieur Chassaing ! Enfin elle chercha à se justifier de ses mauvaises appréciations sur le carnet de Gilles et donner un peu de consistance à la décision qu'elle avait prise de lui faire passer un examen d'entrée en sixième. C'était une punition. Oui, une punition. Elle l'avait répété plusieurs fois, parce qu'elle ne trouvait ni normal, ni acceptable qu'un enfant qui dévorait les livres comme Gilles fasse autant de fautes d'orthographe. Ce n'était pas seulement impardonnable, c'était surtout inquiétant. Elle en était encore toute retournée, comme si son diagnostic révélait une maladie incurable dont elle aurait repéré le symptôme avant tout le monde. Deux mots vinrent heurter les oreilles d'Albert avec la brutalité de ces oiseaux qui, sans raison, se jettent contre le carreau d'une fenêtre, deux mots bien pires que Sophocle ou Antigone dont il n'avait jamais entendu parler, c'étaient les mots Poésie et Imagination. Il les connaissait, ces mots-là, il les avait déjà entendus, mais jamais il n'en avait eu l'usage, ni aux champs, ni à l'usine, ni dans sa famille. C'était du moins ce qu'il venait de comprendre. Non, vraiment, il n'avait jamais éprouvé ni même envisagé la Poésie et l'Imagination dans sa vie, ni pour lui, ni pour personne. L'institutrice coupa court à sa logorrhée, reconnaissant bien volontiers que ce sens de la Poésie et de l'Imagination aidait Gilles quelquefois, particulièrement dans les saynètes qu'elle faisait monter à ses élèves en fin d'année et dans lesquelles Gilles excellait. Sadique, elle prit un réel plaisir à l'idée d'avoir ouvert un espace rassurant pour Albert, juste avant de le refermer : « Oui, mais on ne va tout de même pas en faire un comédien. » Albert ne put refréner son écœurement ; la vierge de la grande école de la République, la folle du théâtre venait juste de révéler, malgré elle, à quel point, elle méprisait ses élèves particulièrement ceux issus de condition ouvrière. Elle mit très vite un terme à cette discussion, incapable de faire face à ses propres maladresses, loin d'imaginer que les mots Poésie et Imagination, qu'elle avait inoculés dans la tête d'Albert, se diffuseraient en lui comme un poison. Pourtant, il n'y avait pas de plus grande imagination poétique que le réveil à remonter le temps qu'Albert avait inventé dans ses moments de loisir en hiver ; mais si quelqu'un lui avait dit la poésie de son travail d'horloger amateur et avait salué l'imagination de ses créations, il aurait bien ri, lui qui s'obstinait à ne voir dans ses pendules et ses réveils que de simples et fascinants mécanismes.

Au sujet du théâtre, Albert se souvenait d'un article dans *La Montagne,* le lendemain de la mort de Gérard Philipe ; on y racontait que l'acteur était fils d'un grand avocat. L'institutrice avait peut-être raison, après tout. Albert aurait dû être rassuré de savoir que ce fils-là n'était pas meilleur élève que lui-même ne l'avait été ; c'était même l'occasion rêvée pour placer sa phrase préférée, celle qui mettait un terme à toute conversation embarrassante : « Qu'est-ce que vous voulez, nous on est des ouvriers. » Nous, jamais je. « Nous, on est des ouvriers » pour dire « nous, on n'est *que* des ouvriers ». Mais, au lieu de cela, cette révélation, en se frottant à son désir secret d'en finir, enflamma la question de la succession et de la transmission. Oui, on pouvait succéder à un père cordonnier, ou à un père paysan, ou encore à un père médecin ou notaire, mais on ne pouvait pas succéder à un père ouvrier. Il en connaissait pourtant de ces enfants qui étaient devenus ouvriers à leur tour, mais ce n'était pas par amour du métier, c'était par amour du père, pour lui prouver qu'il ne s'était pas trompé dans sa vie. Regarde, tu n'es pas rien, puisque je veux être comme toi. Et si tu penses que tu es rien, je ne veux pas être plus que toi. Ça oui, c'était beau, mais quel genre d'homme ça donnait ? Quoi qu'ils fassent, les enfants d'ouvriers sont toujours piégés même si, sous couvert de vivre avec leur temps, ils finissaient par rompre avec leurs origines, au point de les oublier, de les renier, à l'image d'Henri et sa passion pour la construction des ponts hydrauliques qui rendait Suzanne si fière, comme si elle y connaissait quelque chose aux ponts et aux viaducs. Ça encore, il pouvait le comprendre et le supporter, même s'il se demandait, là aussi, quel genre d'homme ça allait faire plus tard. Mais ce jour-là, bien au-delà de la question de l'orthographe, ces deux mots, Poésie et Imagination, venaient d'expulser son fils dans un futur rempli de choses aussi inconnues que merveilleuses apparemment, mais qui lui étaient encore plus étrangères que les études d'ingénieur d'Henri. Gilles l'impressionnait.

Personne, à part son père quand il était rentré de Verdun en novembre 1917, après avoir été gazé, ne l'avait impressionné autant. Sauf qu'à cette époque c'était lui l'enfant. Et là, ça se renversait, putain !

Quelque chose trembla en lui qu'il ne connaissait pas, qu'il n'avait jamais ressenti et qui le débordait. Ça hérissait ses poils, ça frissonnait sous sa peau, de la plante de ses pieds jusqu'à la racine de ses cheveux. Les larmes inondèrent ses yeux noirs en même temps qu'il s'avouait son admiration pour son gamin. C'était effrayant. Il hoquetait comme un enfant et eut peur que les soubresauts de son corps qu'il ne maîtrisait pas réveillent Suzanne. In extremis, il réussit à ravaler ses pleurs sous ses paupières et à les manger dans ses yeux. Ça le brûlait tellement qu'au moment où il les rouvrit il crut avoir perdu la vue. Il n'en revenait pas de ce séisme au-dedans, lui qui ne versait jamais une larme, pas même aux enterrements, pas même à l'enterrement de son père. Un homme qui pleure, ça n'avait pas de sens. Sauf parfois les vieux. Il avait déjà remarqué que, à partir d'un certain âge, les hommes n'hésitaient pas à sortir leurs mouchoirs, pour presque rien. Il se souvenait du père Pelou qu'il avait aidé, il y avait plusieurs années de cela, à retourner la terre de son potager. L'homme avait été une force de la nature mais, à près de quatre-vingts ans, il n'avait plus un muscle dans les bras et, malgré son grand âge, il devait encore nourrir un fils impotent que le reflux de 14 lui avait ramené comme un déchet. Incapable de le remercier du service rendu, le vieil homme s'était mis à trembler comme une feuille. C'était son corps tout entier qui pleurait, sans pouvoir s'arrêter. Et pourtant Dieu sait qu'il n'avait pas été tendre dans sa vie celui-là, surtout pas avec sa femme, une sainte, qui s'épuisait à s'occuper de leur fils unique condamné à vie dans sa chaise roulante. En vieillissant les hommes pleurent. C'était vrai. Peut-être pleuraient-ils tout ce qu'ils n'avaient pas pleuré dans leur vie, c'était le châtiment des hommes forts. Mais lui, il n'avait que cinquante-deux ans ! Le temps que cet orage en lui se dissipe, ce chagrin de vieillard cessa curieusement de l'inquiéter et finit même par le rassurer, non pas sur sa condition d'homme, ni sur une quelconque révélation sur sa capacité à éprouver une émotion, mais sur l'idée de la fin qui s'approchait sûrement. Il se sentit mieux.

Ce n'était pas seulement ces deux mots, dont il n'avait jamais l'usage, qui l'avaient tant secoué ; c'était aussi à cause de Suzanne. Elle n'aimait pas suffisamment leur second fils pour l'accompagner dans sa future vie des livres. Impossible non plus de compter sur Henri, si mécanique, pour s'intéresser à un frère si singulier. Son fils aîné reviendrait d'Algérie aussi couvert de gloire que son père Camille Chassaing était revenu de Verdun, même s'il avait été démobilisé à cause de ses poumons bouffés par les premiers gaz. Henri avait été un très bon élève, c'est-à-dire un élève sérieux, sans histoires, l'élève naturellement parfait, celui contre lequel on ne peut rien ; et Albert avait fini par le reconnaître comme un don de Dieu, c'est-à-dire comme une anomalie. Gilles n'était pas bon élève, il était un lecteur excessif qui ne tirait aucun profit scolaire de ses lectures, sans être capable, pour autant, de savoir où elles le conduiraient.

Ces derniers jours, Albert chercha donc quelqu'un qui pourrait accompagner son fils. Rien de très intellectuel dans sa recherche, juste quelqu'un qui pourrait, mieux que lui, l'aider à se tenir dans la vie un livre à la main, comme il lui avait appris à se tenir sur un vélo, d'abord sur quatre roues, puis sur deux tout en retenant l'effort du jeune cycliste par la selle jusqu'à ce que celui-ci trouvât par lui-même le bon équilibre du corps et roulât tout seul, sans se rendre compte que son père l'avait lâché. Rien de plus. Une seule personne lui parut capable de soutenir de la même manière ce lecteur que son fils était en train de devenir : Monsieur Antoine, un voisin qui s'était s'installé à Assys voilà quelques mois. Albert ne savait pas grand-chose de cet homme, à part qu'il était originaire de la région, qu'il avait été maître d'école à Paris et venait d'acheter, pour passer sa retraite au pays, l'ancienne maison de la Marie Bateau, une très vieille fille, morte l'automne dernier après avoir empoisonné tous ses chats. Monsieur Antoine était un vieux garçon dont on voyait bien qu'il connaissait la vie parce qu'il ne manifestait pas cette timidité maladive qui entrave les hommes qui n'ont pas connu de femmes. Au contraire, il n'avait pas manqué, un jour au marché de Saint-Sauveur, de saluer l'élégance de Suzanne. Sinon c'était « Bonjour, bonsoir », rien de plus. En dehors de cela, le nouveau savait se tenir à carreau, ne rien déranger, et se laissait observer avant d'être accepté dans la petite communauté d'Assys. Même si le temps de cette lente et minutieuse observation n'était pas écoulé, tout le monde ici avait déjà remarqué une chose : l'homme lisait beaucoup. Apparemment, le retraité se passionnait aussi pour les mondes microscopiques auxquels Albert ne s'était jamais intéressé, même s'il connaissait pas mal de choses de la nature, transmises de père en fils. Et encore ! uniquement ce qui peut servir, la pêche, la chasse, le temps qu'il allait faire, les champignons, le nom des arbres, de certaines plantes qui guérissent, et de quelques étoiles dans la nuit. Pour Monsieur Antoine, absolument tout était prétexte à une scrupuleuse observation. Le vieil homme semblait botaniser toutes sortes de pensées aussi minuscules qu'extraordinaires au cours de ses promenades, un livre à la main dont il se servait quelquefois comme d'une presse pour faire sécher une feuille ou une fleur à laquelle personne n'aurait jamais prêté la moindre attention. Un jour où Albert travaillait son champ de pommes de terre, le retraité avait rebroussé chemin parce qu'il n'avait pas résisté à montrer un spécimen bien trop rare pour être seul à profiter de cette merveille. C'était une chenille jaune, presque aussi grosse que le pouce, diaprée de bleu. Un futur sphinx, le maître des papillons, lui avait fait remarquer Monsieur Antoine. Albert avait fait celui qui s'y connaissait, alors qu'il n'avait jamais su faire la moindre différence entre les papillons, sauf peut-être les plus gros qu'on appelait, par ici, les macahons. Au fond, l'étranger agissait avec les choses de la nature comme les habitants d'Assys avec lui, et Albert en était arrivé à une conclusion qui pesa dans sa décision : cet homme, comme lui, se contentait de peu. Après sa rencontre avec l'institutrice, le retraité lui parut la meilleure réponse qu'il pouvait apporter à la poésie et à l'imagination.

Ça, c'était hier. Ce matin, il se demandait s'il était raisonnable de remettre son fils entre les mains d'un homme que personne ne connaissait. Impossible de faire peser sur les épaules de cet inconnu une responsabilité qu'Albert n'était pas capable d'assumer lui-même. Il n'aurait jamais dû aller le voir, et encore moins sous le prétexte de lui apporter des légumes de son jardin. Il n'avait même pas été capable d'aborder cet homme simplement et de manière sincère. Il eut honte de lui, honte d'avoir réduit son fils à un problème d'orthographe. Il avait arrangé la situation pour piéger son voisin ; tout ça, dans l'espoir de permettre à cette balle imaginaire de bouger d'un millimètre et de le tuer, parce qu'il n'avait aucun doute que cela se produirait enfin, une fois le problème de Gilles réglé. Pourtant, il renonça à cette idée. C'était obscène. Des larmes à nouveau affluèrent sous ses paupières, à nouveau les brûlures dans les yeux, même si ce n'étaient que des larmes d'impuissance. Enfermé dans ses pensées autant qu'il se sentait enfermé dans ce corps inutile, Albert était travaillé par une autre certitude. Même s'il continuait à vivre, même s'il renonçait à en finir, son fils était de toute façon condamné à supporter, au sein de sa famille, la pire des solitudes. Ce renoncement-là lui paraissait une obscénité plus grande encore.

Comme Gilles était le seul des deux fils Chassaing à avoir hérité de la grande taille d'Albert, de ses yeux bruns, de sa chevelure épaisse et noire, il n'eut jamais l'impression d'être sorti des entrailles de sa mère, mais de celles de son père. Depuis le début du printemps, c'était le chant des oiseaux dans le cerisier qui le réveillait, mais, ce matin d'été, il avait été remplacé par celui d'une scie. Il était à peine sept heures. Les yeux à peine ouverts, son regard buta sur le livre qu'il avait commencé la veille, un peu par hasard. Le titre était écrit en lettres d'or sur la tranche en cuir rouge, *Eugénie Grandet.* Rien qu'en lisant ce nom, Gilles eut envie de reprendre sa marche imaginaire *dans les rues sombres de Saumur couvertes de petits pavés caillouteux et humides jusqu'à la maison du père Grandet.* Mais, dehors, le bruit continuait. Ça venait d'en bas. Il découvrit par la fenêtre son père en bras de chemise qui avait commencé à scier le cerisier. Trop occupé à se demander où les oiseaux avaient bien pu se réfugier, le fils d'Albert ne prêta aucune attention au fait qu'il n'était pas normal d'abattre un arbre en juillet. Gilles était le dernier enfant de ce village de soixante-douze habitants, sans boulangerie, sans église, sans épicerie, sans médecin, qui dépendait entièrement de la commune de Saint-Sauveur, à cinq kilomètres. Soixante-douze habitants livrés à eux-mêmes, une sorte de tribu où les Chassaing faisaient partie des plus jeunes. Gilles vivait dans un monde de vieux et tirait certains avantages de cette position, particulièrement quand les femmes parlaient très ouvertement devant lui. Combien de fois avait-il entendu sa mère rêver à haute voix et se plaindre de sa vie dans ce trou, ou sa tante Liliane raconter ses bonnes rigolades avec ses copines à l'usine, ou, plus drôles encore, les assauts conjugaux et sans imagination de son mari. Gilles aimait écouter leurs confidences de femmes et en éprouvait un plaisir équivalent à celui qu'il trouvait dans les livres où il découvrait des mondes inconnus, souvent éloignés, mais qui se révélaient à lui comme une autre réalité et l'invitaient à grandir. De son père, il ne savait pas grand-chose. Albert ne parlait pas ou peu, sauf en présence de sa sœur Liliane. À chaque fois qu'elle revenait à Assys, c'était l'occasion pour lui d'entrer en conflit ouvert avec elle pour des raisons qui échappaient à tout le monde, mais qui, curieusement, n'empêchaient pas sa sœur de revenir régulièrement. Ça allait recommencer puisque Liliane et son mari venaient manger à midi.

De la fenêtre, Gilles regarda encore son père, puis le ciel, à nouveau son père, puis le cerisier. Aucun doute, les oiseaux avaient disparu. Ils finiraient bien par revenir. Il profita de son réveil matinal pour se jeter, le ventre vide, dans le roman, quittant Assys pour s'installer près des invités dans la grande salle de la maison *Grandet* où *Nanon* avait tardivement allumé le feu dans la cheminée. Un nouveau personnage faisait son apparition, *Charles*, le cousin d'*Eugénie*. Cette arrivée impromptue, en pleine soirée, suscitait de grandes interrogations et une certaine excitation. Le jeune homme était beau et bien habillé, porteur de lumière dans cette maison triste et froide ; sa présence était un mystère. Gilles aussi se demandait bien ce qu'il était venu faire là, en pleine nuit, sans avoir prévenu de son arrivée. Grâce aux mots de Balzac, à la manière de les agencer en images, il parvenait à sauter dans le décor, sans même se rendre compte qu'il changeait de siècle, peut-être aussi parce que la maison des *Grandet* ne semblait pas si différente des maisons de ses vieilles voisines, carrées, en pierre noire des volcans, qui gardaient les mêmes odeurs austères des cendres froides, de la cire et du Mirror des cuivres. Gilles grandissait dans un monde encore ancien et relativement inerte, malgré l'objectif, presque sournois, de sa mère qui s'obstinait à vouloir transformer en maison moderne la ferme où son mari était né.

Moderne était le seul mot auquel Suzanne se référait après Dieu puisqu'elle ne ratait jamais la messe du dimanche. Elle était convaincue que la vie moderne était la meilleure réponse à ses prières, après les années de privations et d'efforts qu'elle avait endurées pendant la guerre et à la libération, juste après le retour de captivité de son mari. Chaque jour, Suzanne, mains jointes et manches relevées, bénissait le plus fervent messager des temps modernes, l'ange trop grand, à la voix chevrotante que Dieu avait envoyé à la France, le général de Gaulle, auquel elle ne faisait aucun reproche, pas même d'avoir envoyé son enfant en Algérie. Ce fut donc avec la plus grande application et la plus grande dévotion qu'elle se mit à détruire le monde d'avant-guerre pour tenter d'y rebâtir un monde nouveau. Rien à voir avec le Paradis de la Genèse, bien trop champêtre pour elle, et encore moins ce Paradis communiste auquel son beau-frère et sa belle-sœur croyaient ; Suzanne mettait tous ses espoirs dans un monde qui, justement, n'avait jamais existé avant, un monde de perfection, à la construction duquel elle tenait à participer avec la plus grande dévotion. Mais elle eut beau faire crépir au ciment les murs extérieurs de la ferme et les avoir fait repeindre en blanc, coffrer les linteaux, remplacer les fenêtres, rien n'avait l'air neuf. La maison Chassaing, au cœur de ce village, qui avait été une léproserie troglodyte au XIIIe siècle, était devenue une véritable verrue, mais une verrue qui, au moins, avait l'air propre. La propreté était la preuve éclatante et incontestable de son engagement dans la vie moderne qui la conduirait, un jour, à fuir ce trou pour aller vivre dans un pavillon clés en main ou un appartement en ville, rempli de lumière, au dernier étage d'un immeuble neuf. Elle ne désespérait pas de convaincre Albert. Elle avait à disposition tous les arguments dont elle aurait besoin le moment venu, ne serait-ce que la proximité de l'usine qui lui éviterait de prendre le car des ouvriers et lui ferait gagner chaque jour un temps considérable. Elle connaissait son homme ; il pourrait même cultiver un petit jardin ouvrier le long des voies ferrées pour occuper ce temps gagné sur les trajets. Elle avait pensé à tout. Mais tant que sa belle-mère vivait, elle savait qu'elle n'obtiendrait rien d'Albert. Elle prenait son mal en patience, convaincue qu'elle n'avait plus longtemps à attendre. Une fois la maison d'Assys vendue – elle comptait bien sur un partage équitable à la mort de Madeleine entre Albert et sa sœur – ils pourraient acheter un pavillon ou un appartement en ville. Pour l'instant, c'était encore un rêve qu'elle gardait secret, aussi bien plié que le linge dans son armoire.

Ici, elle avait beau essayer de transformer les choses, à l'intérieur comme à l'extérieur, rien ne changeait vraiment : lorsqu'un nouvel élément apparaissait dans la cuisine, il en remplaçait seulement un ancien et la topographie du décor ne variait pas. Une seule chose avait changé dans la mise en place du petit déjeuner : la couronne de pain bis était maintenant posée sur un torchon blanc – non pour des raisons d'esthétique rustique et encore moins pour répondre à cette loi de la nature morte qui voudrait que le linge soit impliqué dans ce type de représentation, mais juste pour éviter que la croûte épaisse et trop cuite du pain ne rayât le Formica plus fragile que le plateau en chêne de l'ancienne table. Ce torchon, bien que reprisé, était le signe immaculé du soin que Suzanne apportait aux choses neuves. C'était cette fragilité qui rendait, aux yeux de Suzanne, une table en Formica aussi précieuse que le service à thé en porcelaine de Chine enfermé dans le buffet de la salle à manger Henri II. Elle détestait ce mobilier tarabiscoté et espérait bien l'échanger contre une enfilade scandinave et six chaises en fer forgé qu'elle avait repérées au rayon « mobilier contemporain » des Galeries de Jaude. Elle la voulait depuis longtemps cette salle à manger ; et, pourtant, elle venait de renoncer à cette dépense, au profit d'un poste de télévision. L'antenne, installée sur le toit depuis la veille, confirma à tout le village la nouvelle dépense de Suzanne. Les oiseaux s'étaient réfugiés sur ce nouveau perchoir, mais ils ne chantaient plus.

Henri, dans sa dernière lettre d'Algérie, avait manifesté le regret que personne ne possédât encore de télévision à Assys. Son régiment avait été choisi pour être filmé par une équipe de l'ORTF qui souhaitait rendre compte au public français des conditions de vie des appelés et de la réalité des combats. Dès lors, il ne fut plus question pour Suzanne de rater la possibilité de voir son fils vivant. La promesse de l'apparition d'Henri, dans sa cuisine, lui suffit pour s'engager à crédit dans ce nouveau projet. Albert accepta sans approuver pour autant. En vingt-deux ans de mariage, il n'avait d'ailleurs jamais rien refusé à sa femme. Tous les mois, il lui remettait sa paye Michelin. Il n'avait jamais aimé l'argent gagné à l'usine et Suzanne pouvait en disposer à sa guise, à la condition que personne ne manquât de rien, ni elle, ni leurs fils, ni sa belle-mère. Dès la première année de leur mariage, et malgré ses dix-sept ans, Suzanne s'était parfaitement acquittée de sa tâche grâce aux leçons qu'elle avait reçues à l'école d'enseignement ménager, et montra des qualités de gestionnaire exceptionnelles, grâce aussi aux économies qu'Albert permettait avec les légumes de son jardin, ses volailles et sa petite vigne – économies non négligeables, d'autant qu'Albert prétendait n'avoir jamais besoin de rien. C'était toujours une comédie quand il s'agissait de lui faire acheter une veste ou un pantalon. Il se contentait de ses bleus, du costume de son mariage et de la canadienne que sa mère lui avait offerte pour ses trente ans et dont il pouvait retirer la doublure en mouton quand l'été arrivait. Il signa sans rechigner les papiers qui l'engageaient à payer cette dépense en trente mensualités. Trente mois, presque trois ans, cela lui parut si long qu'il ne put s'empêcher de sourire. Suzanne préféra ne pas interpréter ce sourire. Elle avait ce qu'elle voulait, c'était tout ce qui comptait. Pour Henri, elle était prête à tout, à tous les sacrifices, à toutes les transformations, à tout ce qui lui garantissait que son fils resterait en vie. Elle en était arrivée jusqu'à se dire qu'elle pourrait supporter la mort de son mari, peut-être même de Gilles. Mais si Henri mourait à la guerre, elle ne lui survivrait pas.

La matinée

Les grandes veuves de guerre, les vraies, celles de la Première Guerre mondiale, n'étaient pas les femmes qui avaient perdu un mari, mais celles qui avaient perdu un fils. Une épouse qui avait perdu son mari, même au champ d'honneur, pouvait toujours se remarier. Mais une mère était amputée à vie d'un amour qu'elle ne pourrait jamais retrouver, mort là-bas dans la boue et la désolation, dans les bruits des canons et dans les gaz, dans les diarrhées et les vomissures. Ces veuves étaient devenues intouchables, presque sacrées, quasiment les égales de la mère du Christ. Comme la Vierge, elles étaient, bien sûr, capables de recevoir, comme des bouquets de roses sans épines, toute la compassion du monde, à la différence près qu'elles s'octroyaient, en plus, le droit de distribuer les reproches et les châtiments adaptés si l'une d'entre elles dérogeait à la règle qu'elles avaient elles-mêmes écrite sur les usages à suivre dans le cadre du deuil, inconsolable et innommable, d'un enfant.

La mère Morvandieux, la dernière de la tribu des

veuves de 14, avait fini, à force d'observation derrière les rideaux de sa fenêtre, par constater un phénomène mystérieux qui dépassait l'entendement : Suzanne rajeunissait depuis que son fils avait été appelé en Algérie. Albert, lui aussi, avait remarqué l'étonnante métamorphose de sa femme. C'était vrai qu'elle devenait chaque jour de plus en plus belle. Elle l'avait toujours été, mais après leurs années de mariage elle avait fini par l'oublier. La métamorphose avait commencé quelques semaines après les premières lettres d'Henri. Il lui fallut peu de temps pour éprouver le besoin impérieux de s'occuper d'elle. Dans le miroir de son armoire, elle procéda d'abord à une sorte d'expertise de son corps d'épouse et de mère, son ventre était encore suffisamment plat, malgré ses deux grossesses, pour qu'elle n'ait pas besoin de gaine ; ses seins, qui n'avaient allaité qu'un seul de ses enfants, se tenaient parfaitement bien ; et ses cuisses ne portaient aucune marque ni de vergeture, ni de cellulite. Sa passion pour la nage avait sûrement beaucoup compté dans le maintien de son corps et l'armature de ses muscles. Nager, c'était tout ce dont elle se souvenait de sa vie avant son mariage. Ça l'avait longtemps aidée à oublier son enfance d'orpheline chez ces religieuses qui sentaient si mauvais. Dès cet instant, elle enclencha le processus de transformation de son image. Pas son image de mère, ni d'épouse, son image de femme. Comme elle était une fervente lectrice de *Nous Deux* et *Intimité,* elle trouva facilement son modèle dans ces romans-photos, copia les robes de ses héroïnes préférées, et renonça définitivement aux robes-tabliers sans forme et sans style qu'elle portait, signe incontestable du renoncement à la jeunesse et à l'élégance, une sorte de camisole de force de la mère au foyer. Suzanne les transforma en torchons, les unes après les autres, au fur et à mesure des nouvelles robes qu'elle se cousait. En plus des Royale qu'elle s'était mise à fumer sous prétexte de calmer ses nerfs et dont elle aimait les bouts dorés, les couleurs pastel dominaient ses choix de tissus, les bleus particulièrement. Pour parfaire son changement, elle renonça à ses chaussures plates contre des escarpins à talons aiguilles qui donnaient du galbe à ses mollets et une certaine grâce à sa démarche. Mises en plis, colorations, crêpage, maquillage devinrent une obsession et des pratiques qu'elle maîtrisait de mieux en mieux. En très peu de temps, elle acquit l'adresse nécessaire pour désépaissir ses sourcils, tout en leur donnant une forme en arc de cercle, et poser l'eye-liner sur ses paupières de manière parfaitement symétrique. Ce petit trait épais et noir, accentué par le Rimmel sur ses longs cils, révélait dans le regard de Suzanne une profondeur qu'on ne lui connaissait pas. Une fois maquillée, coiffée et chaussée, elle passait la dernière robe qu'elle s'était cousue et se faisait photographier ou demandait à son mari de le faire. C'est ainsi qu'Albert, à travers l'objectif, réussit à voir chaque détail de la métamorphose. Une fois la photographie développée, elle l'envoyait à son fils en Algérie.

Cette façon que Suzanne avait d'affirmer sa volonté d'embellir en l'absence de son fils finissait par insulter la mère Morvandieux, elle qui, en quarante ans, s'était entièrement desséchée ; elle qui vivait cloîtrée dans ce tête-à-tête avec son fils de dix-neuf ans mort au champ d'honneur, même si elle parlait de moins en moins à ce beau garçon qui ressemblait de plus en plus à un spectre dans l'unique photographie qu'elle possédait de lui et que le temps et la lumière du jour finissaient par effacer. Et tous les matins, c'était plus fort qu'elle, il fallait absolument qu'elle passe voir Suzanne et tente de percer ce mystère.

Albert, qui s'acharnait à scier le cerisier, ne s'était même pas dérangé quand, par la porte qui donnait sur le jardin, il vit entrer la veuve de guerre dans la cuisine. Il n'avait jamais aimé ces femmes, ni leurs robes noires, ni leurs tabliers sans âge qu'elles portaient comme des bannières de processions. Il les avait toutes connues et s'était toujours tenu à l'écart de ces garces qui n'étaient plus que des serpillières de l'histoire. Heureusement, il n'en restait plus qu'une. Combien de fois elle était venue à la charge ! S'il l'avait écoutée, il aurait obligé Suzanne à se replier sur elle-même, à s'enfoncer déjà dans son rôle de mère douloureuse, conforme à l'image qu'elles avaient fait sculpter dans le monument aux morts de Saint-Sauveur, dans les années 1920. Pas une femme, pas une épouse, pas une fiancée mais une mère implorante, au visage d'ange, avec des bras d'hommes, agenouillée, défigurée, suppliant la Patrie dévorante de lui rendre son enfant et au bas de laquelle était gravé « *À eux la gloire, à nous le souvenir* ». Et Dieu sait que la Morvandieux en avait fait mauvais usage, du souvenir. Pourtant, si elle avait vu Suzanne quand une lettre arrivait d'Algérie, elle aurait été comblée. Seulement Suzanne ne montrait rien.

Le temps de lire chacune des lettres qu'Henri lui écrivait, elle se cachait seule dans sa chambre pour pleurer tout son saoul. Elle n'aurait pas supporté de partager une goutte de cette souffrance dont elle voulait profiter, sans témoin, et sous le poids de laquelle elle se brisait quelquefois. Elle souffrait de tout, de savoir que son fils risquait sa vie, qu'il ne mangeait pas assez bien, que ses pieds le faisaient souffrir, qu'il rêvait d'un bon morceau de saint-nectaire, qu'il dormait sous une tente, que le soleil l'aveuglait, que son barda était trop lourd, ou encore parce qu'il allait danser et boire un verre au Sphinx à Alger, parce que certains Algériens lui avaient manifesté de la sympathie ou d'autres une franche hostilité, parce que le pays était si beau, ou parce que ses nuits étaient froides et ses journées brûlantes. Tout était prétexte à s'effondrer sur le cadavre imaginaire de l'enfant chéri. Vers midi seulement, la lecture de la lettre en était faite à table, une fois que Suzanne avait refait son maquillage.

Albert ne voulait jamais lire la lettre pour lui-même puisqu'il savait qu'Henri s'adressait surtout à sa mère. Du coup, cette tâche, à haute voix, incomba à Gilles. Les lettres étaient simples, les phrases étaient insignifiantes et douces, si insignifiantes et si douces qu'elles sentaient le mensonge, et ce mensonge dans cette voix enfantine finissait par faire pleurer Suzanne une seconde fois. Puis, Gilles rendait à sa mère le sourire quand il lisait le post-scriptum : « *J'ai montré ta nouvelle photo aux autres, et ils trouvent tous que j'ai bien de la chance d'avoir une mère aussi belle. Ils disent même que tu aurais pu être actrice de cinéma.* » C'était incontestable. Albert lui-même en convenait, sauf qu'il ne reconnaissait pas dans cette beauté cinématographique la femme avec laquelle il vivait depuis si longtemps, pas même la jeune fille ravissante qu'il avait épousée.

La première fois qu'il avait ressenti cette étrangeté, c'était un mois plus tôt, un samedi soir au bal où il jouait de l'accordéon. Une valse. Parmi tous les danseurs, il surprit un couple en particulier. Les souliers parfaitement cirés et sans décoller du sol, l'homme et la femme glissaient à l'envers, repoussant la paraffine sur le parquet. Ils étaient beaux. Ils avaient l'air heureux. C'était Suzanne qui dansait avec Paul Marsan. Il y eut une fausse note et tout s'arrêta, la musique et la danse. Le silence vibrait encore de l'ivresse et de la légèreté des danseurs. Aucune jalousie. Albert fut juste étourdi parce qu'il venait pour la première fois de voir l'expression d'un bonheur, absolu et impudique, sur le visage de sa femme.

À partir de ce jour de bal, toutes les transformations, toutes les métamorphoses, tous les changements ne résonnèrent plus en lui comme le début d'autre chose, mais comme la fin.

Suzanne venait de démouler sa génoise pour le baba qu'elle avait prévu en dessert, et l'arrosait du rhum qu'elle avait fait réduire en sirop. La mère Morvandieux restait plantée, entre la porte d'entrée qui donnait directement sur la rue et la porte de l'autre côté qui ouvrait sur le jardin d'où elle pouvait apercevoir Albert. Ainsi, appuyée sur sa canne, elle pouvait jouir, à travers sa jupe noire, du courant d'air frais qui coulait entre ses vieilles cuisses d'insecte. Elle n'eut pas un mot pour l'odeur de rhum qui pourtant embaumait toute la cuisine. Ce matin, elle était venue avec une intention qu'elle n'avait encore jamais exprimée, et qui avait largement supplanté son désir de percer le mystère de la métamorphose de Suzanne.

— Donc Henri vous a encore écrit… j'ai vu le facteur hier. C'est qu'il en passe du temps chez vous, le Paul Marsan. Beau garçon, ça, on peut le dire même si, moi, j'aime pas bien ce genre.

Suzanne, croyant que la veuve était venue l'asticoter sur sa relation avec Paul, préféra ne pas répondre aux insinuations. Elle s'assit tranquillement pour prendre son café, organisa autour de sa tasse, son cendrier, son briquet et son paquet de cigarettes, histoire de se donner une contenance pour mieux supporter les morsures de la vipère. Mais Suzanne était loin d'imaginer le reproche que la veuve de guerre allait lui faire ; elle n'avait même pas senti que la mère Morvandieux venait à peine de lancer son hameçon, et s'apprêtait à l'attraper par le cœur jusqu'à le déchirer.

— Combien de fois vous lui écrivez par semaine à votre gamin ?

— Au moins trois, parfois quatre.

— Eh bien, moi, je pense que vous lui écrivez trop. Et, croyez-moi, c'est pas bon pour les soldats. J'espère qu'il a pas de marraine de guerre en plus ?

— Non, je crois pas… Ça, c'était de votre temps.

— Une fiancée ?

— Non.

— Qu'est-ce que vous en savez ? Il pourrait, à son âge.

— Peut-être, mais il n'en a pas.

— Tant mieux pour vous. Les fiancées et les marraines de guerre, quelle plaie ces bonnes femmes ! Moi, je vous le dis, s'il y avait pas eu cette Germaine Theuriot – Ah çà, je me souviens encore de son nom à celle-là – sans cette saleté, mon garçon se serait pas pris pour un héros. Tout ça pourquoi ? Pour faire le coq, pour séduire une garce qu'y connaissait même pas. Mais, moi, je sais que sans elle, mon Joseph me serait revenu, et tout entier.

Au lieu de rappeler qu'elle était sa mère et que ses lettres n'avaient rien à voir avec celles d'une marraine de guerre en mal d'amour, elle se tut, laissant planer l'ambiguïté sur le sens de sa relation à son fils. Cette absence de réponse fit furieusement écho chez la mère Morvandieux et la déstabilisa, puis, dans ce laps de temps dans lequel un silence de mort s'engouffra, la veuve lâcha avec une douceur inattendue une chose qui la surprit elle-même et la trahit :

— C'est qu'aujourd'hui je suis bien trop vieille pour penser à un enfant aussi jeune.

Alors, avec toute la tristesse qui venait de s'abattre sur elle, la vieille ajouta :

— Parce qu'il ne me reconnaîtra pas, quand j'arriverai là-haut.

Il y eut un nouveau silence durant lequel Suzanne put apercevoir, pour la première fois, le chagrin de cette femme et sa déception ; comme si, la mère Morvandieux qui n'avait pas manqué un seul office religieux de sa vie, venait de comprendre que les promesses de retrouvailles au moment du jugement dernier, n'étaient qu'un mensonge. Non seulement le deuil d'un enfant ne finissait jamais, mais Suzanne eut la certitude qu'avec le temps, loin de s'apaiser, il devenait de plus en plus douloureux. Une grosse mouche bleue vint se coller sur le ruban poisseux du papier tue-mouches. Suzanne et la mère Morvandieux assistèrent à cette minuscule et bruyante agonie.

— En 1918, on en a eu de ces grosses mouches bleues aussi. Les murs en étaient couverts, vous pouviez pas y mettre un doigt. Ça faisait peur. Et mon gamin est mort à la fin de l'été.

Incapable de supporter ce qu'elle entendait, Suzanne détourna son regard et jeta un coup d'œil vers Albert, toujours occupé à scier le cerisier. Il ne sentait même pas les mouches qui se régalaient de sa sueur. Suzanne eut une moue de regret, un léger dégoût, qui fit légèrement trembler ses joues. Pourtant, la première fois que Suzanne vit Albert (c'était juste avant guerre), elle avait aimé sa chevelure bouclée et noire, ses épaules larges et ses mains d'homme en train de jouer de l'accordéon au bal de la maison du peuple de Saint-Sauveur. Elle avait succombé devant la puissance de ce célibataire très convoité. Au premier coup d'œil, elle fut convaincue que cet homme était capable de la rassurer et de la protéger, elle qui était née sans famille, abandonnée chez les religieuses où elle avait seulement appris à coudre et à nager. Elle avait su immédiatement qu'il ne serait pas un homme facile, déjà bourré de principes d'après ce que Liliane lui avait dit ; mais, au premier regard, elle eut la conviction qu'elle serait capable d'apaiser chez lui ce surplus de virilité. Des années plus tard, elle devait constater qu'elle n'avait pas réussi ce prodige. Albert était à l'image de son corps qui, loin de se ramollir avec l'âge, se nouait et se durcissait de plus en plus.

La veuve de guerre avait déjà disparu. Suzanne soupira, ravie d'être enfin seule dans sa cuisine. Cette intrusion avait été plus difficile à supporter que celles des autres matins. Heureusement, elle savait comment se débarrasser des souffrances que lui infligeait la mère Morvandieux. Il lui suffisait de penser à la mise en plis qu'elle devait se faire, à la robe qu'elle allait porter, à la prochaine lettre qu'elle écrirait pour que tout commence à aller mieux. Depuis quelque temps, ces petites choses lui permettaient de s'extraire du monde des autres, de plonger en quelque sorte dans le vivant, et de couler une longue brasse imaginaire dans le silence. Sans son expérience de la nage et de la profondeur des eaux fraîches de l'Allier qu'elle avait explorée presque tous les jours de son enfance, jusqu'à l'épuisement, elle n'aurait jamais réussi ce prodige : effacer d'elle les images du malheur quand elle se sentait trop menacée.

Le cousin d'*Eugénie* était inconsolable. Gilles, plongé dans un nouveau chapitre du roman, chassait machinalement les mouches qui brouillaient les lignes noires et gênaient sa lecture. *Charles* venait d'apprendre la mort de son père. C'était pour l'éloigner du drame que le vieil homme ruiné l'avait envoyé à Saumur, chez son oncle. Il était perdu, le pauvre garçon. *Nanon*, la bonne à tout faire, et *Eugénie* cherchaient par tous les moyens à soulager la peine de ce jeune homme si différent de tout ce qu'elles connaissaient, et qui n'arrêtait pas de pleurer. Ça, c'était curieux. Gilles savait qu'un enfant pouvait pleurer, que sa mère pleurait quand elle lisait les lettres d'Henri, mais un homme ! *Charles Grandet* était un homme déjà. Gilles n'avait jamais vu son père pleurer, ni aucun homme autour de lui, pas même Henri. Alors, de quoi était fait ce *Charles* qui s'effondrait des nuits entières, comme une fille, écrasé dans ses oreillers ? Il essaya d'imaginer sa réaction, si on lui apprenait que son père s'était donné la mort, mais son imagination, ordinairement débordante, trouva sa limite. Son père ne pouvait pas mourir. Du coup, Gilles réussit à dépasser sa mauvaise opinion de *Charles*, non pas parce qu'il aurait soudainement compris son état, mais parce qu'il ne pouvait mettre en doute la vision de l'auteur. Pleurer son père mort, quel que soit son âge, devait être normal ; sinon Balzac aurait pris le temps de donner des explications pour justifier cette anomalie.

Après les biographies historiques sur Louis XIV, Napoléon ou Christophe Colomb qui l'avaient passionné, *Eugénie Grandet* était le premier grand roman qu'il lisait, sans savoir que c'était un grand roman. Dès les premières lignes, sa confiance en ce qui était écrit grandit au fur et à mesure de sa lecture. Dans le livre, on ne parlait pas comme chez lui, à part *Nanon* peut-être, qui parlait un peu comme sa grand-mère. Les phrases étaient comme des routes de montagne avec des virages qui s'enchaînent les uns aux autres et au bout desquels se révèlent des paysages magnifiques. Elles étaient compliquées, même ardues quelquefois et, malgré cette difficulté, il comptait bien aller jusqu'au bout du livre. Les pages étaient encore scellées entre elles et, à l'aide du canif que son père lui avait offert, il coupait les pages les unes après les autres avec un plaisir équivalent à celui d'un explorateur obligé de couper la végétation pour se frayer un chemin dans une forêt épaisse et noire, attaqué lui aussi par les mouches qui se multipliaient dans la chaleur.

Ce n'était pas uniquement son envie de lire qui retenait Gilles dans son lit. De la fenêtre de sa chambre, et uniquement de cette fenêtre, il pouvait voir au-delà du cerisier, et même au-delà de son père. Il pouvait voir Monsieur Antoine, le nouveau voisin, sortir tous les matins vers neuf heures et s'installer sous sa tonnelle, avec un livre. Sûrement un livre différent chaque jour. Si Gilles n'avait jamais vu un homme pleurer, il n'avait jamais vu personne, et encore moins un homme, lire un livre. L'homme, d'assez grande taille et les cheveux blancs, l'intriguait, pas seulement parce qu'il lisait mais parce qu'il avait l'air heureux.

Prendre conscience du bonheur de ce voisin discret et silencieux l'obligea à mesurer l'absence du bonheur chez lui, chez sa mère et son père. Il se disait que c'était peut-être à cause d'Henri mobilisé en Algérie. Mais il ne se souvenait d'aucune image de bonheur même avant l'incorporation de son frère aîné. Ce bonheur ne pouvait donc provenir que de la lecture. Quoi d'autre ?

Albert, qui suait comme un bœuf pour scier le cerisier, finit par retirer sa chemise et son tricot de peau. Gilles découvrit son père torse nu. Jamais il n'avait vu le corps véritable de son père. Il était robuste, ça, il le savait. Même habillé, ça se voyait. Ce qui le surprit, c'était la blancheur de sa peau, insoupçonnable, presque de marbre, à la différence de sa tête et de ses avant-bras brunis par le soleil qui semblaient se détacher du reste du corps. Il avait déjà entrevu la blancheur de sa peau, quand Albert roulait un peu trop haut ses manches de chemises sur ses biceps, mais jamais il n'aurait pu croire que son corps tout entier pouvait être fait de cette matière laiteuse. Le corps intime de son père se révéla d'une douceur étrangement féminine en opposition à sa puissance physique qui lui apparut tout d'un coup comme une étrangeté.

Si tout le monde se lavait, depuis toujours, au gant et à l'évier dans la cuisine, l'organisation était telle que ni Gilles, ni Henri n'avaient jamais vu les corps entièrement nus de leurs parents. Suzanne faisait sa toilette le soir quand tout le monde était couché. Quant à Albert, qui travaillait de nuit, il se lavait juste avant de partir prendre le car des ouvriers vers six heures du soir, après avoir demandé à tout le monde de sortir, sa femme y compris. Du corps de son père Gilles ne connaissait que le visage, les mains et les avant-bras, quelquefois les pieds quand il se déchaussait pour les plonger dans la cuvette d'eau salée que Suzanne lui préparait pour le soulager de sa fatigue. Albert avait des pieds de géant parfaitement bien sculptés, les mêmes pieds que ceux du Saint-Pierre grandeur nature à l'entrée de l'église de Saint-Sauveur que Gilles devait embrasser sur le gros orteil de bronze tous les dimanches, comme le faisait sa mère. D'ailleurs, elle venait d'apparaître dans le jardin, en robe bleu ciel, escarpins blancs et gros bigoudis sur la tête.

— Albert, tu crois vraiment que c'est le jour de scier ce cerisier ?

— Ce qui est fait n'est plus à faire.

— Je ne sais pas si tu t'en souviens, mais ta sœur et André viennent déjeuner, et je te rappelle que j'ai encore mes pigeons à farcir et à barder, que j'ai à rouler mes cornets, dresser la table dans le jardin, sinon on va crever de chaud dedans, que cet après-midi on nous livre le poste de télévision et qu'on a rendez-vous chez le photographe ensuite. Je sais pas si je vais réussir à tout faire, moi : je n'ai que deux bras.

— Dis-moi plutôt ce que tu veux que je fasse.

— Laver ta mère… et tout entière ! Je ne veux pas que ta sœur y trouve à redire !

Suzanne s'efforçait à parler un français le plus parfait possible mais il arrivait que des « y » se glissent dans ses phrases presque malgré elle. Si cette lourdeur ancestrale, ce dérivé de la grammaire du patois lui faisait prendre le risque, quand elle ouvrait la bouche, d'altérer sa modernité et sa beauté, il était la preuve sonore à la fois de son inquiétude et de l'endroit où elle allait puiser en elle la force d'affronter Albert. En revanche, sa pensée était toujours juste et d'une profondeur animale. Depuis cinq ans, c'était elle qui faisait la toilette de sa belle-mère tous les jours, et c'était la première fois qu'elle demandait à son mari de s'en occuper. Elle savait très bien qu'elle venait de demander une chose impossible à un fils. Ça lui était venu tout d'un coup dans sa cuisine, en installant ses bigoudis dans ses cheveux et peu de temps après le départ de la mère Morvandieux. Elle comptait sur la violence qu'il pouvait y avoir à laver le corps intime de sa propre mère pour ramener son mari à la réalité dont elle voyait bien qu'il s'échappait de plus en plus, tout en espérant que la réalité, de la même façon que la musique le jour où elle le vit pour la première fois au bal de saint-Sauveur, le ferait s'échouer tout près d'elle. Sauf qu'elle le disait avec des mots plus abrupts que sa pensée.

— Tu entends, il faut que tu laves ta mère. Après il faudra que tu remplaces le papier tue-mouches et que t'oublies pas de te changer, regarde-moi dans quel état tu t'es mis !

Albert avait eu un haut-le-cœur à l'idée de devoir laver sa mère. Il abandonna le cerisier à moitié scié, mais commença par changer le ruban des mouches avant de monter à l'étage.

Des années qu'Albert n'était pas entré dans la chambre de sa mère. La dernière fois, c'était pour veiller la dépouille de son père. Ça remontait à plus de trente-cinq ans et il n'y avait plus jamais remis les pieds. Même papier peint malgré ses motifs presque effacés, même petite cheminée, même crucifix en ivoire et mêmes photographies accrochées au mur dans leurs cadres d'origine : celle du mariage de ses parents au-dessus du lit et celle de son père en cavalier de la guerre de 14-18. Quelque chose dans son œil perturba cette immobilité du passé : une photographie qu'il ne connaissait pas et qui le représentait à l'âge de dix-sept ans avec sa petite sœur, sans cadre et juste posée contre le pied de la lampe de chevet. Albert en costume cravate, le cheveu cranté, l'air effronté tient serrée dans ses bras sa petite sœur Liliane, à peine âgée de trois ans, le visage serti d'anglaises retenues par un gros nœud, vêtue d'une petite robe en dentelle blanche sur la photo mais qui était rose pâle en réalité. Il s'en souvenait parfaitement, comme il se souvenait de ses petits souliers vernis qu'il lui avait offerts. L'odeur aussi avait changé. La chambre sentait la soupe et le silence paraissait plus vieux. Au fond, il ne savait rien de cette chambre où il était né, où sa mère avait aimé son père, où elle avait mis ses enfants au monde, où elle avait sûrement rêvé, même s'il avait du mal à imaginer sa mère en rêveuse, où elle avait dormi, épuisée par la charge de travail que son bon Dieu lui distribuait tous les matins et qu'elle avait toujours accepté sans rechigner. Peut-être y avait-elle pleuré ? Depuis ce matin, il savait qu'on ne passait pas une vie sans pleurer, même si sa mère s'était toujours montrée plus forte de son vivant. De son vivant ? Elle n'était pas morte ! Elle était là, défigurée, rabougrie, fripée autant qu'une vieille robe jetée en boule dans le coin d'une pièce, mais vivante encore. C'était aussi la chambre, se dit-il, où elle allait mourir bientôt.

Suzanne avait tout préparé, la cuvette, le gant, les deux serviettes, le broc d'eau chaude et le broc d'eau froide. Sa mère, assise sur le bord de son lit, perdue dans une combinaison sans forme qui lui servait de peau, sombrait depuis des années dans l'enfance, une enfance terrifiante dans laquelle elle attendait que la mort vienne enfin la ramasser sur son passage. Elle en avait souvent parlé. Pour elle, le faucheur squelettique qui représente la mort dans les légendes avec sa faux sur l'épaule n'était pas un homme mais une femme. Elle avait, elle-même, trop longtemps porté cet outil sur son épaule pour aller faucher les champs quand son mari était malade et même quand il ne l'était pas, pour affirmer que cet outil n'était en rien un symbole de virilité. Les hommes se tenaient bien trop loin de la vie pour se représenter ce personnage humble et magnifique qui ouvre en grand les portes de l'« Outre Monde », comme elle l'appelait dans le patois de son enfance qui lui revenait de plus en plus tandis que le français s'amollissait avec ses chairs, au point de n'être plus qu'une ombre pâle dans sa bouche. Albert connaissait aussi le miracle de cette langue ancienne des paysans où le feu meurt à tout jamais, alors que les hommes s'éteignent pour naître dans la mort. On ne disait pas que quelqu'un était mort, on disait qu'il s'était éteint puis « empurgué ». Le mot oublié remonta en lui pour le consoler. L'Empurgar ! Le seul mot qui désignait en patois la naissance dans la mort, un mot gaulois sûrement, qui n'existait pas en français, le seul mot qui devait apaiser Madeleine en secret. Le français, c'était son père qui l'avait ramené des tranchées et l'avait imposé à la maison, comme s'il était parti se battre là-bas juste pour ça. Il se souvenait des colères titanesques de son père quand le patois refaisait surface. Il disait que ça avait failli leur faire perdre la guerre. Entre les Bretons, les Auvergnats, les Provençaux, impossible de se comprendre entre eux. Ils parlaient moins bien le français que les Noirs du Sénégal. C'était le français qui les avait rassemblés, qui les avait rendus combatifs et avait fait d'eux des patriotes. Avant, prétendait-il, ils n'étaient rien, moins que rien, tout juste de la chair à canon. C'était tout ce qu'il avait eu à dire de cette guerre mondiale. Et, lui qui ne savait ni lire ni écrire ne voulut plus jamais entendre une autre langue dans sa maison que la langue des camarades. Quand son père mourut, dès le lendemain, le patois revint dans la bouche de sa mère.

Albert savait s'y prendre avec elle. Quand elle ne le reconnaissait plus, il suffisait qu'il se mette à lui parler dans sa langue ancienne pour qu'elle refasse miraculeusement tous les liens et particulièrement celui qui la reliait à son fils. Dans cette langue presque oubliée, sa mémoire était intacte. Depuis qu'il était entré, elle ne manifesta aucune répulsion à son égard. Et, pour éviter de mettre sa mère mal à l'aise, il s'adressa justement à elle en français, ajoutant dans le timbre de sa voix la douceur qu'il aurait employée s'il s'était adressé à un animal effrayé ou pris au piège, pour le rassurer.

— On va faire ta toilette, maintenant. C'est pas dimanche aujourd'hui mais c'est un peu pareil. Liliane vient manger à midi. Ça te fait plaisir de la voir ?

— C'est un jour de fête alors, dit-elle en posant dans le regard de l'inconnu un regard un peu inquiet.

— C'est ça. C'est un jour de fête.

La vieille se mit à sourire et se pencha vers son oreille puisqu'il venait de s'agenouiller devant elle.

— Y'en a pas assez... C'est pas vrai ?
— Qu'est-ce qu'il n'y a pas assez ?
— Des jours de fête, pardi.

Le contraste entre ce qu'elle venait de dire, ces jours de fête qui n'étaient pas assez nombreux et les deux mains de sa mère, deux mains d'homme, tordues par le travail par tous les temps, ouvrirent, dans cet espace intime, un sentier d'émotion qu'il n'aurait jamais osé emprunter jusqu'à elle. La pudeur avait toujours empêché toute manifestation des sentiments entre eux pour ne laisser place qu'à une espèce d'affection respectueuse qui les avait tenus à distance l'un de l'autre. Tout cela se brisa d'un coup, devant les mains de sa mère posées sur ses cuisses d'une maigreur repoussante. Miraculeusement sa vieille mère se laissa déshabiller sans aucune résistance, parce qu'il avait enfin réussi à enjamber son émotion, et à retrouver un sourire dans les muscles pétrifiés de son visage. Elle l'aidait autant qu'elle le pouvait, levant ses pieds pour qu'il lui enlève ses pantoufles, ou encore se soulevant pour qu'il puisse lui retirer sa combinaison. Une fois nue devant lui, une fois devant ce corps décharné que la vie semblait avoir si mal traité, Albert se demanda comment sa mère pouvait accepter de se laisser déshabiller par un homme qu'elle prenait manifestement pour un étranger. Était-elle encore sa mère dans cet état ? Il préféra ne pas répondre à cette question parce qu'il tenait à ce moment-là, plus qu'aucun autre dans sa vie, à rester son fils devant elle. Le cavalier de Verdun sur la photographie le regardait faire. Il pensa à Gilles qui n'avait pas connu son grand-père, puis de Gilles il fit un saut dans son enfance. Combien de fois il était entré dans cette chambre, quand son père était au front, pour admirer le portrait du militaire corseté dans sa veste à boutons dorés. Il se souvenait de ce regard noir entre la moustache et les sourcils en broussaille qui semblait le commander à distance et l'obliger à se tenir droit. Droit et debout. Il se souvenait même de la manière qu'il avait d'entrer comme par effraction dans la chambre, du soin qu'il mettait à ne pas faire grincer la porte en la soulevant légèrement, ni à laisser retomber trop vite le loquet. Il ne fallait pas que sa mère l'entende ; les chambres, pour elle, c'était juste pour dormir. Quand avait-il cessé de se recueillir devant la photo de son père ? Aucun événement précis ; juste qu'en grandissant il n'avait plus éprouvé ce besoin irrépressible. L'image était entrée en lui, comme une leçon apprise par cœur ; le modèle ne le possédait pas, il le soutenait autant que ses os et ses muscles. Là, devant sa mère nue et sans défense, cette image du héros le blessait. Madeleine, pour sa part, avait oublié le soldat, et le mari, et le père. Assise sur son lit où Albert avait pris soin de poser une serviette, sa longue chevelure grise et plate sur ses épaules osseuses, sa peau fripée, elle ressemblait à un cadavre que la mort n'aurait pas encore eu le temps de défroisser. Madeleine Chassaing avait toujours été une femme bien en chair, sans être grosse, et bonne vivante ; la folie de la vieillesse l'avait mangée du dedans. Albert n'arrivait plus à toucher ce corps entièrement séché sur cette ossature de plâtre qui apparaissait sous sa peau. Ses seins auxquels elle avait nourri ses deux enfants n'étaient plus que deux mamelles sans vie, entièrement vidées de toute substance, qui pendaient sur son ventre, une espèce de poche dont la chair flasque s'aplatissait sur les os de ses cuisses. Ses mains tordues par les efforts et par les rhumatismes rappelaient encore la puissance préhistorique de la femme qu'elle avait été. Albert avait du mal à retenir ses larmes d'enfant devant ce corps défait d'où il entendait à peine battre le cœur. À genoux de nouveau devant elle si vulnérable et si courageuse, il put procéder à la toilette. Madeleine Chassaing détourna son regard de cataractes et fouilla l'espace sans fin au centre duquel elle se tenait pour ne plus profiter que de l'opacité du vide autour d'elle.

— Et les cerises. Si on allait manger des cerises.

Albert n'eut plus aucun doute, elle savait que c'était son fils devant elle : elle n'aurait jamais fait cette proposition à un inconnu.

— Oui, on ira demain, maman.

Il aima dire ce mot qu'il ne disait plus depuis longtemps, mais s'il crut pouvoir rétablir un certain équilibre entre eux de cette façon, il se rendit très vite compte qu'il venait de faire un faux pas, qu'elle ne tarda pas à rectifier. Cela pouvait fonctionner dans un sens, certainement pas dans l'autre.

— Moi, je voulais pas me marier, j'étais pas bien bonne pour le mariage, voyez. J'étais bonne pour faire des enfants... Vous savez, j'ai eu de très beaux enfants. J'en ai eu huit...

Elle n'en avait eu que deux et Albert reprit la place de l'inconnu où elle venait de le remettre en le vouvoyant, pour désamorcer toute obscénité. Il trouva la façon de remonter ses cheveux pour lui laver la nuque, ou de passer le gant sur le visage pour la débarbouiller doucement, ou de soulever ses bras squelettiques pour atteindre ses aisselles. Il ne pouvait détacher son regard d'elle, et se disait que seule la certitude de la mort à venir, la preuve de son infiltration dans le vivant, obligeait les hommes à des gestes plus précis et plus délicats, qui n'étaient d'ailleurs pas sans lui évoquer les gestes nécessaires aux mécanismes d'horlogerie. Ils étaient d'une si grande délicatesse que ses grosses mains d'ouvrier auraient pu, à ce moment-là, tenir une aiguille et repriser la dentelle la plus fine. En attendant, il manipulait sa mère avec tant de soin, tant de précision, que toute forme de pudeur avait fini par disparaître. Après avoir soigneusement savonné puis rincé ses jambes et ses genoux cagneux, il ne redoutait plus qu'une seule chose : devoir passer le gant dans l'entrejambe de sa mère, laver son sexe et ses fesses. Il eut une longue hésitation. Il eut l'impression, comme si elle avait senti sa gêne, qu'elle la comprenait, qu'elle la partageait même. Nue, sèche, debout, plantée devant lui, elle eut un geste inattendu pour l'autoriser à cette indécence : elle ouvrit les paumes de ses mains sur le vide, faisant, par ce signe, une offrande de son pauvre corps. Albert commença à vivre ce moment d'une intimité folle comme un privilège. Il s'agenouilla à nouveau à ses pieds, pour ne pas la dominer, enfila le gant de toilette sur sa main après l'avoir rincé, le savonna longuement, puis le remonta doucement entre les cuisses de sa mère.

Albert sortit de la chambre et descendit avec sa mère en la tenant par le bras. Dans l'escalier étroit, il prenait bien soin de passer ses avant-bras sous ses aisselles pour éviter de lui faire mal ; sa mère était si petite, si maigre, que la pression de la main sur ses chairs aurait pu lui trouer la peau. Gilles, qui venait de finir une toilette de moineau à l'évier, se dit en les regardant descendre que si son père avait lâché sa grand-mère, elle n'aurait pas roulé dans l'escalier mais se serait envolée. Suzanne savait bien qu'il était prématuré d'espérer un retour aussi rapide de son mari, mais voulut quand même le vérifier.

— Eh ben, Madame Chassaing (elle n'avait jamais réussi à l'appeler belle-maman), il vous a fait bien belle, votre fils.

— Tu la connais, toi, cette bonne femme ?

Albert préféra ne pas répondre et accompagna sa mère jusqu'à son fauteuil, près de l'ancienne cheminée devant laquelle il avait installé un poêle à mazout l'an passé. Même si le poêle ne fonctionnait pas, c'était la place que tous les vieux avaient occupée de tout temps et qui convenait à Madeleine depuis qu'elle avait du mal à marcher.

— Bon, moi, j'y vais, lança Gilles après avoir embrassé assez rapidement sa grand-mère que son père avait aspergée d'eau de Cologne.

— Et on peut savoir où tu vas ? demanda Suzanne dans une volte-face.

— Lire.

Il voulait sûrement continuer sa lecture, savoir ce qu'*Eugénie* allait trouver pour apaiser le chagrin de son cousin qui avait perdu sa fortune, mais il était trop agité pour qu'il n'y ait pas une autre raison. Il ne tenait pas en place. Depuis qu'il était descendu dans la cuisine, il ne cessait de regarder par la fenêtre comme s'il voulait absolument éviter quelqu'un et pouvoir s'échapper au dernier moment.

— Et m'aider de temps en temps ? Mettre le couvert, par exemple. Ton frère m'aidait toujours, lui. Ah, au fait, cet après-midi, tu t'éloignes pas.

— Pourquoi encore ?

— Ça, t'es bien comme ton père ! Il faut tout vous dire deux fois. Tu ne te souviens pas qu'on a rendez-vous tous les trois chez le photographe ?

Gilles acquiesça, mais sa mère venait de dire la seule phrase qui le rassurait plus qu'aucune autre : « Tu es bien comme ton père. »

La photographie était une sorte de manie chez Suzanne ; toute la famille devait s'y plier à chaque fois qu'elle achetait quelque chose qui participait à la construction de son projet de vie moderne. À la longue, cet album avait fini par ressembler davantage à un inventaire d'électroménager qu'à une galerie de portraits de famille. C'était plus fort qu'elle, il fallait qu'elle fasse de ce jour un jour historique où était inscrit au stylo à bille sous chaque photo, *cuisine, chambre placage acajou en kit, cosy chambre Henri, moulin à café électrique, Frigidaire, 4 CV, planche à repasser pliante* avec la marque, les dimensions, le prix et quelquefois une note, une phrase sur le temps qu'il faisait le jour de la réception de l'objet ou du meuble. Aujourd'hui, elle allait bientôt pouvoir inscrire, *poste de télévision Philips, belle journée d'été.* Grâce à l'album, il était facile de savoir quand, pour Suzanne, avait commencé cette relation entre leurs portraits et les objets de la vie moderne, c'était exactement le 12 novembre 1950, quelques mois après la naissance de Gilles. Sur cette première photographie, il est nu et souriant assis sur un oreiller blanc en dentelle. Il a à peine six mois et en paraît facilement douze, preuve incontestable de son héritage paternel et du bien-être revenu après guerre. Apparemment, quelque chose de la modernité opulente était intimement liée à la naissance de Gilles. On aurait pu croire que son arrivée dans cette famille avait eu quelque chose de messianique, annonçant ainsi un temps nouveau, un temps que son frère Henri, né en 1940, n'avait manifestement pas été capable d'apporter avec lui, où la myrrhe, l'or et l'encens auraient été transformés en *Landau anglais à deux roues, Crédit sur six mois et BCG.* Mais non. Ce fut quand même Henri le Messie, parce que c'était lui qui avait été le principal artisan de la vie moderne. On reconnaissait facilement son écriture sous la plupart des photographies. Après tout, le Messie n'est vraiment reconnu comme tel que le jour où il entre dans le Temple, vers l'âge de dix ans, et déclare la parole de Dieu accomplie. En 1950, Henri avait cet âge-là.

Le cœur de Gilles se mit à battre plus fort que la normale quand la porte s'ouvrit, mais il fut vite calmé quand il découvrit que l'intrus n'était que Job, le brocanteur. Petit mais costaud, l'iris bleu et la pupille dilatée derrière ses lunettes à double foyer, c'était un homme d'une élégance outrancière, peut-être à cause de ce rubis monté sur une chevalière qu'il portait au petit doigt, ou de sa moustache à la hongroise, épaisse et noire, qu'il soignait avec tant d'application qu'on aurait pu croire à un postiche. Si rien dans son attitude ne paraissait obscène, ni déplacé, rien ne paraissait naturel non plus. Le tout semblait être le résultat d'un savant calcul.

— Alors, ma très chère Suzanne. Aujourd'hui, le grand jour ?

— Cet après-midi, répondit-elle avec un air de conspiration.

Ils faisaient allusion à la livraison de la télévision, et Gilles découvrit dans le même temps que tout le monde était invité, ce soir, à inaugurer l'arrivée de la télévision à Assys.

— Dis-moi Albert, tu m'as l'air bien soucieux. C'est le remembrement qui te met dans cet état ? Ils ne parlent que de ça en ce moment dans tout le pays.

Le grand projet du remembrement des terres agricoles était un point sensible qui était venu s'ajouter ces dernières semaines à l'inquiétude d'Albert, mais Suzanne ne lui laissa pas le temps de répondre. Elle savait que le sujet risquait d'entraîner Albert dans une très longue discussion.

— Et vous ? Les affaires marchent comme vous voulez ?

— À merveille, à merveille !

En dix ans, Suzanne avait vendu un à un au brocanteur, pour des bouchées de pain, les objets et les meubles anciens de sa belle-mère sans demander à Albert s'il était d'accord. Elle avait toujours agi très naturellement, toujours au nom du changement et aux promesses d'un monde meilleur, sans jamais mesurer l'obscénité de ce pillage. Ce fut comme si, au fur et mesure des disparitions, elle avait réussi, malgré elle, à vider le cœur de son mari. Peut-être qu'Albert attendait que la dépossession soit totale pour en finir. Il restait peu de choses à vendre encore, à part le service à thé en porcelaine de Chine que sa mère avait gagné avec des bons de café dans l'entre-deux-guerres, la salle à manger Henri II et la bergère Louis-Philippe où Madeleine Chassaing restait assise toute la journée. Albert ne s'intéressa pas davantage à la suite de la conversation. Ses pensées étaient encore nouées à cette image du corps de sa mère. Il ne pouvait décrocher son regard d'elle et put voir comment elle reniflait le gros myope qui convoitait son fauteuil, le fauteuil que Madame d'Orcet, la propriétaire du château d'Assys, lui avait offert pour son mariage en 1906, l'année où elle avait quitté sa place de servante pour se marier. Pour le plus grand plaisir d'Albert, sa mère ressuscita et se décolla légèrement du dossier, ses grosses mains percluses de rhumatismes s'agrippèrent dans les rembourrages des bras du fauteuil jusqu'à y enfoncer toute sa répugnance. Par un simple mouvement du corps qui se raidissait, la pivoine convulsionnée se métamorphosa en une espèce de lierre grimpant et tenace que rien ni personne n'aurait pu arracher. La mort elle-même, si elle s'était présentée, y aurait momentanément renoncé.

Heureusement, Albert appréciait suffisamment la présence de Job pour apaiser sa mère d'une simple application de sa main sur les siennes. Les deux hommes avaient en commun un goût prononcé du passé, ce qui leur permettait d'avoir des points de vue identiques sur certaines choses, sur la question du remembrement, en l'occurrence. Néanmoins, une différence majeure les opposait. Albert ne voyait dans les objets du passé que la survivance de ses souvenirs d'enfant, alors que pour Monsieur Job le passé, à travers « les antiques choses » comme il nommait les objets anciens, était une manière de lutter contre ce séisme annoncé du monde moderne à grand renfort de publicités. Il faisait des émotions suscitées par le charme du passé une question de philosophie. Albert aimait l'entendre baratiner sur ce sujet, amusé par son bagou parce qu'il savait très bien que, dans sa bouche, émotion et charme équivalaient à une valeur pécuniaire non négligeable. Étrangement, l'objet valait peu à l'achat, quelquefois rien, puis beaucoup plus à la revente, comme s'il avait subi entre ses mains une sorte de miracle qui lui rendait une valeur historique, ou archéologique, ou mystique, autant dire inestimable. Et puis il n'y avait pas si longtemps encore Monsieur Job n'était que chiffonnier. Cette nouvelle religion de l'électroménager avait eu sur sa profession un avantage appréciable : si les impératifs du monde moderne étaient en train de provoquer une fracture définitive avec les objets du passé, ils avaient, du même coup, donné à son métier ses lettres de noblesse. Devenus des antiques choses, les objets les plus ordinaires de l'ancien temps lui permettraient bientôt de passer du statut peu enviable de chiffonnier à celui très reconnu d'antiquaire ; brocanteur était juste une sorte de purgatoire dont il se contentait en attendant la consécration.

Gilles, son livre ouvert sur les genoux, n'écoutait plus depuis longtemps. *Eugénie* venait de donner *à Charles* tout l'or que son père lui avait offert à chacun de ses anniversaires, des pièces de grande valeur, des pièces très anciennes, des pièces d'or romaines ou d'autres du Moyen Âge. Elle était radieuse et *Charles* l'aimait dans le petit jardin de la maison triste. Il allait bientôt la quitter pour retrouver son bateau à Nantes et partir aux Indes pour y faire fortune. « *Je voudrais, pour un moment, avoir la puissance de Dieu* », déclarait *Eugénie* à sa mère en voyant la voiture qui emportait l'homme qu'elle aimait. Gilles à force de s'immerger dans le roman avait l'impression d'être tous les personnages à la fois, même le père *Grandet* qui avait le pouvoir de le faire rire aux éclats, surtout quand l'avare entrait en discussion frontale avec *Nanon* pour deux morceaux de sucre. Autre chose dans le roman l'avait particulièrement intéressé : la métamorphose d'*Eugénie*. À cause de sa mère qui mettait de plus en plus de soin à travailler son apparence, Gilles revint sur le passage où *Eugénie* s'apprête à revoir *Charles* pour la deuxième fois. Sa mémoire ne l'avait pas trompé : pour attirer l'attention de son cousin, elle redoublait d'effort, soignait sa toilette, mettait ses plus beaux rubans, ses souliers neufs, se coiffait en dégageant son visage et devenait jolie parce que si « *la lumière est le premier amour de la vie, l'amour n'est-il pas la lumière du cœur* ? ». Cette phrase lui permit de regarder sa mère autrement, surtout quand le facteur fit son apparition. Gilles le découvrit dans l'embrasure de la porte et fut surpris, d'autant qu'il ne s'était pas aperçu du départ de Monsieur Job.

En dehors de son service à la Poste, toutes les femmes, et la mère Morvandieux la première, avaient remarqué le soin que Paul Marsan portait à sa tenue et toutes s'entendaient pour dire qu'il était un homme élégant, surtout comparé à leurs maris qui étaient pour la plupart ouvriers, toujours propres mais peu soucieux de leur tenue. Si tout le monde s'étonnait de la métamorphose de Suzanne, il était bien le seul à s'en réjouir, convaincu, que c'était le biais qu'elle avait choisi pour lui exprimer des sentiments encore inavouables. Il ne manquait donc jamais une occasion de la féliciter, pour montrer qu'il recevait parfaitement ses signaux. Comme on lui prêtait toutes sortes d'aventures sentimentales, plus ou moins vraies, plus ou moins lointaines, mais qui attestaient de sa recherche absolue de la femme idéale, Suzanne, confiante en ses goûts en matière féminine, n'hésitait donc jamais à lui demander son avis sur telle couleur de tissu qu'elle avait choisie pour sa nouvelle robe. Elle avait raison. Paul, qui connaissait les noms de tous les tissus qu'il comparait à des parfums, lui recommanda un jour, en présence de Gilles, le crêpe de Chine pour les dessous, qui conviendrait formidablement à son genre de peau.

Dès l'entrée de Paul Marsan, Albert se raidit de la même manière que sa mère avec le brocanteur. Gilles aussi se raidit parce qu'il se retrouvait exactement dans la position qu'il redoutait le plus depuis son lever.

— Une lettre pour vous, Suzanne.

— Madame Chassaing ! rectifia Albert qui ne pouvait supporter un homme qui faisait cintrer sa veste de postier. Et je suppose qu'elle est pour toute la famille, non ?

— Oui, oui, « Famille Chassaing ». Désolé, Albert. Mais elle ne vient pas d'Algérie, celle-ci.

L'hostilité instinctive et parfaitement silencieuse d'Albert brisa toute velléité de la part du facteur à s'attarder ce jour-là, puis on entendit le vrombissement du moteur de la voiture des postes ; Suzanne, comme Albert, reconnut dans cette accélération, un peu trop sportive, l'expression de la colère et de l'humiliation du facteur. Gilles, très loin de ces préoccupations, tremblait à cause de la lettre que sa mère tenait dans sa main et sur laquelle elle ne tarda pas à poser son regard.

— Qu'est-ce qui te prend de m'écrire une lettre ?

Impossible pour Gilles de répondre à cette question. Écrire une lettre avait d'abord été un exercice qu'il n'avait encore jamais fait dans sa vie. L'idée lui était venue à force de voir sa mère émue par les nombreux courriers de son frère aîné. Il espérait que le miracle de l'écriture opérerait de la même manière, et parviendrait ainsi à la toucher. En dehors de la promesse qu'il faisait, par écrit, d'avoir son examen d'entrée en sixième et de faire plus attention à son orthographe, l'objectif même de la lettre était de la terminer, comme toutes celles de son frère, qui bien qu'elles fussent toutes adressées à ses parents, finissaient invariablement par : « Ton fils qui t'aime. »

— C'est pas malin, figure-toi ! À cause de l'enveloppe bleue, j'ai cru que c'était une de mes lettres qui m'était revenue. Ne refais jamais ça, tu m'entends ? Jamais ! Et puis pose ce livre. Non mais, tu entends ce que je te dis ? Pose ce livre.

— Donne-moi cette lettre.

Suzanne passa la lettre à son mari comme pour s'en débarrasser. Gilles fut, à cet instant, glacé d'effroi, les muscles de son visage s'étaient paralysés. Une seconde il crut entrevoir dans le regard de sa mère une sorte de jouissance à l'avoir humilié. Il resta accroché à son livre, vissé sur la chaise, le temps que son père fouille le contenu de la lettre. Albert s'arrêta sur une phrase juste avant « Ton fils qui t'aime » et qui le défigura quelques secondes ; Gilles avait écrit : « Je promets de lire moins. »

— Et pourquoi tu arrêterais de lire ?

— Ça, des promesses, il sait les faire mais...

— Je ne te parle pas, je parle à mon fils.

Il n'éleva pas la voix, mais prononça chaque mot en les détachant les uns des autres, suffisamment distinctement pour que sa femme accepte de se taire et laisse sa phrase en suspens. Pris dans cet étau qui se resserrait sur lui, Gilles hésita avant de répondre. Craignant le pire, il finit par balbutier, mais sans conviction « pour faire plus de choses à la maison... ». C'était tout ce qu'il avait trouvé pour dire que ses lectures intensives l'éloignaient des siens, en particulier de sa mère.

— Et c'est quoi, ce livre que tu lis en ce moment ?

— *Eugénie Grandet.*

— C'est de qui, ça ?

— De Balzac.

— Balzac, Balzac ?.. Le grand Balzac ?

— Je sais pas. Balzac, Honoré de Balzac.

— Oh ! mais c'est qu'il est connu, celui-là.

Il avait dit « il est connu » comme il aurait parlé de quelqu'un qui n'habitait pas très loin et dont la vie tumultueuse ou bizarre était connue de tous. Ce qui eut pour effet de donner à Balzac une existence et une réalité géographique immédiate, une sorte de vieil ami qu'on n'aurait pas vu depuis longtemps et qui avait toujours vécu tout près d'Assys. Suzanne commença à montrer son agacement et finit par intervenir avec la plus grande détermination parce qu'elle n'avait ni supporté la façon dont Albert l'avait remise à sa place, ni la bifurcation qu'il avait fait prendre à la conversation qu'elle avait entamée avec son fils.

— Bon ! Eh bien, vous parlerez de livres une autre fois tous les deux. Mais je serais quand même curieuse de savoir où tu l'as pris ce livre.

— Dans la chambre d'Henri.

— Alors tu es prié de le remettre à sa place. Tu lui as demandé la permission ?

— Mais les pages n'étaient pas découpées.

Avec cet argument, il espérait marquer sa différence avec ce frère que sa mère adorait. Futur ingénieur et vrai soldat peut-être, mais qui ne lisait pas. Puis croyant clore la discussion, il ajouta :

— Comment j'aurais pu lui demander la permission, il est pas là.

— Eh oui, il est pas là. Et pour ça il aurait fallu que tu lui écrives par exemple, au lieu de m'écrire des lettres à moi. Est-ce que tu as écrit à ton frère, une seule fois, depuis son départ ?.. Non. De toute façon, à part moi, personne dans cette famille ne lui écrit.

C'était vrai. Albert n'avait même jamais pensé à ajouter un mot au bas des lettres que Suzanne écrivait, davantage par simplicité que par revanche. Et puis il pensait sincèrement que ces événements en Algérie ne représentaient ni une menace ni un réel danger. La France avait tiré les leçons de l'Indochine et sortirait glorieuse de ce conflit qui n'avait rien à voir avec l'invasion allemande de 40. De son côté, Gilles, soutenu par la parole de son père et par celle d'Henri dans ses lettres rassurantes, avait fait entrer, dans son univers, la guerre d'Algérie par les chemins efficaces du conte merveilleux, à la manière des aventures de Christophe Colomb. Donc, chaque fois que son père évoquait cette Algérie lointaine, l'enfant traduisait ses paroles en images et voyait les Algériens comme les Indiens aux corps peints et emplumés dessinés sur les gravures de la biographie du grand découvreur qu'il avait lue l'an passé. Tout était parfaitement clair, cohérent et juste. Cela ne faisait aucun doute, Henri était un des hommes de Christophe Colomb et la France l'Espagne du XVe siècle. Point de cruauté dans tout ça d'après le livre, seulement de la découverte, de la justice et du christianisme.

— Et puis qui te dit qu'Henri n'avait pas gardé ce livre pour le lire à son retour. C'est un prix qu'il a eu au collège.

Gilles eut envie de répondre que, si son frère était resté si longtemps sans le lire, c'était peut-être qu'il n'aimait pas la lecture, mais il préféra se taire.

— Alors, c'est pas difficile, si tu veux avoir des livres, tu n'as qu'à avoir des prix à l'école, toi aussi. Est-ce qu'au moins tu t'es lavé les mains pour tourner les pages ? Je suis sûre qu'elles vont être pleines de doigts. Je ne sais pas comment il fait ce gamin, mais il a le don de m'énerver.

Suzanne ne pouvait pas comprendre le regard que son mari posa sur elle, parce qu'elle ne pouvait pas imaginer que la séance d'intimité avec le corps de sa mère avait inoculé en lui une tristesse particulière, celle qui, en un fragment de seconde, permet de déchirer la membrane qui nous sépare souvent de la vérité sur nous-mêmes ou sur les autres, et nous oblige à poser sur le petit monde qui nous entoure un regard sans concession. Suzanne fut la première à en faire les frais. Il la trouva non seulement injuste et maladroite, mais vulgaire au point d'en éprouver un profond dégoût. Il n'eut pas d'autre choix que d'intervenir fermement.

— Gilles, viens avec moi.

Au lieu de craindre des représailles, l'enfant ressentit une minuscule vibration de joie, à cause d'une chose insignifiante, un détail qui le rassura et rendit à son visage une expression plus sereine : son père venait de prononcer son prénom. C'était toujours « mon garçon » ou « mon grand », quelquefois « mon fils ». Cette erreur peut-être le mit quand même dans un tel état de confiance qu'il aurait pu suivre son père n'importe où.

L'accueil de Monsieur Antoine fut si chaleureux que Gilles eut la nette impression que le nouveau voisin espérait cette visite depuis longtemps, presque autant que lui.

Albert n'exposa pas le problème d'orthographe auquel son fils était confronté et se contenta de dire :

— Voici, mon fils.

— Ah ! C'est donc toi, le garçon qui lit tout le temps !

Sur la table de la cuisine, Gilles reconnut son cahier d'orthographe recouvert d'un protège-cahier en plastique jaune. À quel moment son père avait-il subtilisé ce cahier dans son cartable ? Quand en avait-il parlé avec Monsieur Antoine ? Pourquoi avait-il pensé au nouveau voisin ? Tout ça ressemblait à une machination.

— Et quel livre tu lis en ce moment ?

Gilles refusa de se soumettre à cet interrogatoire qu'il venait déjà de subir, mais son père le prit de court en laissant s'exprimer une certaine fierté qui le rendait un peu ridicule.

— … Il lit du Balzac. Hein Gilles ?

— Oui *Eugénie Grandet* mais c'est un gros livre je ne comprends pas tout et j'en ai lu que la moitié, enfila d'une traite Gilles, espérant ainsi en finir sur le sujet.

— À dix ans ! Et les phrases de Balzac ne te font pas peur ?

Au lieu de répondre « si, elles sont longues, compliquées souvent, un peu tordues » comme il l'avait parfaitement remarqué, il fit une réponse qui le surprit lui-même :

— Elles sont sinueuses… puis, il ajouta tout de suite après pour évacuer tout malentendu : mais j'arrive à les suivre.

— Sinueuses. Ah oui, ça, on peut le dire, elles sont sinueuses !

La joie manifeste de Monsieur Antoine n'eut d'égale que la fierté que Gilles venait manifestement de rendre à son père.

— Pas toutes quand même, crut bon d'ajouter Gilles, il y a aussi des phrases très courtes.

— Bien sûr… Et tu peux m'en citer une ?

Gilles fut déstabilisé par cette question. À cause de cette fierté qu'il avait entrevue dans le regard de son père qu'il ne quittait pas des yeux, il se sentit obligé de faire un effort de mémoire ; hélas, toutes les phrases s'étaient embrouillées dans son esprit et aucune ne parvenait à se rétablir droit sur son fil.

— Non. Ça me vient pas.

— C'est dommage, lâcha Albert, presque malgré lui.

— Mais non, c'est bien normal. Il faudrait les apprendre par cœur. Moi-même, je ne m'en souviens d'aucune. C'est toujours un mystère ce que l'on retient des livres. C'est pour ça qu'il faut relire régulièrement ceux qu'on a aimés. Je ne fais que ça, depuis que je suis à la retraite. Alors, écoutez, Monsieur Chassaing, si votre fils est déjà capable de lire *Eugénie Grandet*, cela ne me paraît pas très difficile d'améliorer son orthographe. À la fin de l'été, il ne fera plus une faute et nous aurons cet examen. Nous l'aurons !

Le but d'Albert était presque atteint, il ressentit en lui un soulagement, puis une sorte d'émerveillement intérieur qui se traduisit par une impression de chaleur qui se répandit dans ses veines comme si son sang s'était soudainement réchauffé. Il ne fut pas question d'argent. Connaissant son père qui n'aimait rien devoir à personne, Gilles eut la certitude que la chose avait été réglée d'avance.

— Encore faut-il que votre fils soit d'accord. Je n'obtiendrai rien sans son consentement.

— Il l'est, ça j'en suis sûr !

— Pardonnez-moi, Monsieur Chassaing mais il faut que ça vienne de lui.

Depuis que Gilles avait mis les pieds dans cette maison, tout l'énervement et la pesanteur qu'il avait ressentis chez lui avaient disparu. Pourtant, malgré son désir secret de rencontrer cet homme, il hésitait encore parce qu'il comprenait que de sa réponse semblait dépendre une autre chose, bien plus lourde de conséquences que de passer quelques heures par jour dans cette maison. Accepter cette proposition, c'était accepter d'être une offrande, un peu comme le père de *Charles Grandet* avait offert son fils à la famille d'*Eugénie* pour l'éloigner du drame et du lieu du drame. Gilles ne comprenait pas pourquoi son père avait pris cette décision aussi vite, sans jamais en avoir parlé, ni même l'avoir évoquée comme une possibilité, et encore moins pourquoi il paraissait trouver tant de satisfaction dans ce qui ressemblait à une passation. Si son père avait ordinairement eu l'habitude de s'occuper de ses affaires scolaires, tout cela aurait pu paraître normal. Son père n'avait jamais, pas même une seule fois, regardé son carnet. Gilles pressentait un malheur, dont il était le seul à mesurer l'imminence. Il était prêt à refuser, convaincu que cela obligerait son père à abattre ses cartes ou à changer ses plans, mais il n'eut pas besoin de cela. Dans le silence un peu embarrassant qui s'était installé, il croisa le regard de son père. Ce n'était pas un regard qu'il lui connaissait, mais qui lui évoquait celui de *Madame Grandet* au moment où elle veut sauver sa fille, juste avant que son mari découvre qu'*Eugénie* a donné tout son or à *Charles*, la suppliant de ne rien dire, parce qu'elle ne supporte ni le sacerdoce qu'elle s'est infligé, ni la punition qu'elle est capable d'endurer. Dans son regard, Albert lui disait quelque chose d'équivalent. Comme s'il cherchait à le sauver. Impossible de résister. Gilles capitula et finit par donner son accord.

— À la bonne heure ! Et puis tu pourras prendre tous les livres que tu veux. Ils sont là-haut.

Là-haut, c'était seulement le premier étage, et Albert lui-même eut l'impression que le retraité venait de parler du ciel, d'un ciel de livres, d'un bonheur qui ne pouvait se trouver ici-bas. Le regard de Gilles s'était illuminé d'un éclat qu'Albert souhaitait voir depuis longtemps dans les yeux toujours un peu tristes de son fils. Ce qui se passait était au-delà de ses espérances. Là-haut. Au-delà. Il ne pouvait pas y avoir de plus jolis mots en cette fin de matinée. Les larmes affleurèrent à nouveau mais juste par petits frissons sous ses paupières. Gilles, à ce moment-là, put d'un regard toucher l'âme de son père.

La maison, bien qu'entièrement repeinte, était dans un grand désordre, l'inverse de chez Suzanne. Du temps de la Marie Bateau, c'était pire encore. Gilles était souvent venu se réfugier chez la vieille demoiselle sale comme un goret, les yeux exorbités derrière de grosses lunettes à verres épais, toujours en pantoufles crevées sur les côtés pour libérer les oignons qui faisaient souffrir ses pieds, roulant dans sa bouche édentée des flots de salive, surtout quand elle racontait la guerre de 1870, dont elle possédait quatre tableaux qui avaient fini aux ordures après sa mort. Au moins, ça ne sentait plus la pisse de chats. Ici, le savoir n'avait pas cette odeur de craie écrasée, d'encre et de copeaux de crayons qui lui soulevait le cœur quand il entrait dans la classe, mais celle de la cendre froide du poêle, du charbon, de la toile cirée, du papier et du tabac à pipe. Des odeurs de maison et d'homme qui le rassuraient.

Albert avait disparu quand Gilles se retourna pour lui montrer un énorme hippocampe séché que Monsieur Antoine venait de poser dans sa main. Gilles courut jusqu'à la porte d'entrée. Personne dans le jardin, ni sous la tonnelle. C'était d'autant plus étrange qu'il ne l'aperçut pas dans la rue. Il avait disparu. Il était parti, sans avertir de son départ, et surtout sans un bruit. Le maître d'école à la retraite surprit la détresse de l'enfant et, pour le distraire, ouvrit d'un coup la porte qui donnait sur l'escalier, qui conduisait « là-haut ».

Des livres montaient comme des stalagmites et subissaient l'épreuve de l'entassement. Certaines piles atteignaient le plafond, en colonnes serrées les unes contre les autres, dissimulant des pans entiers du papier peint à grosses rayures jaunes qui venait d'être posé. Une pile s'écroula.

Monsieur Antoine ramassa les livres, jetant un coup d'œil rapide sur les titres que le hasard de la chute avait remis entre ses mains, souriant comme si, en une fraction de seconde, remontait à sa mémoire le contenu du livre tout entier.

— Figure-toi que c'est un mystère, ça aussi, ce sont toujours les mêmes piles qui s'effondrent. On dirait que certains auteurs sont plus rebelles que d'autres aux entassements.

D'après lui, les œuvres de Voltaire arrivaient en tête des éboulements suivis régulièrement de celles de Hugo et de Balzac, justement. Jamais Gilles n'avait vu aucune pièce d'aucune maison qui ressemblât à celle-ci. Ce fut une telle splendeur qu'il transforma ce moment en bonheur absolu, oubliant immédiatement la peine que son père lui avait faite en l'abandonnant ici.

— Je sais que c'est très encombré, mais on va se faire une place sur la table. J'ai beau me dire qu'il faudrait que je range un peu, je n'y arrive pas ; plus je veux ranger, plus je dérange.

Ces livres sans étagères, c'était moins impressionnant, moins intimidant qu'une bibliothèque. Ce désordre créait une proximité qui donnait immédiatement envie de lire. Trois gravures sous verre accrochées au mur représentaient des personnages antiques, un homme robuste, un jeune homme ravissant et une femme étrange portant un casque sur la tête, une chouette posée sur l'épaule. Gilles ne savait pas qu'il s'agissait de personnages de la mythologie grecque, que le plus âgé s'appelait Ulysse ; le plus jeune, Télémaque, et la femme, Athéna.

— Je sais aussi que tu aimes l'Histoire

— Oui, plus que la géographie.

— En général, c'est ainsi. La géographie, il faut voyager pour l'aimer. L'histoire, elle vit avec nous, même si on reste sur place toute sa vie. Qu'on le veuille ou non, elle finit toujours par s'asseoir à notre table.

Personne n'avait jamais parlé à Gilles de cette manière. Monsieur Antoine ne s'adressait pas à lui comme à un enfant, il l'obligeait à se hisser jusqu'à lui. Gilles pour l'instant se tenait à peine sur la pointe des pieds, tout chancelant. L'équilibre viendrait, c'était une question de temps.

Pour lui, l'Histoire, celle d'avant sa naissance, était une chose étrange, faite d'une substance élastique, disjointe, qui éloignait les années les plus proches et les propulsait dans un espace temporel impossible à maîtriser, un espace où se côtoyaient les dinosaures de la préhistoire, les Boches, les chevaliers du Moyen Âge, Napoléon et le Débarquement. Le passé était une chose extrêmement confuse pour lui ; et, comme il lui était impossible de s'en expliquer, il n'hésita pas à reprendre une phrase qu'il avait souvent entendu dire par sa mère :

— Le passé, ça sert à quoi ?

La question n'était pas sans rapport avec le goût prononcé de son père pour le passé, ni avec sa mère qui s'acharnait à en effacer toutes les traces. Monsieur Antoine sentit que la question était d'importance. Gilles observa celui que son père lui avait désigné pour tuteur, et voyait bien que l'homme n'avait pas de réponse toute faite. Ce fut assez rassurant.

— C'est une grande question, Gilles, comme souvent les questions courtes. Qu'est-ce que le passé ? Qu'est-ce que la vérité ? Qu'est-ce que le bonheur ? Etc., etc. Alors, si tu le veux bien, je te propose de vivre une expérience de transmission du passé.

Ayant abandonné toute résistance dès son entrée dans cette pièce, l'enfant se contenta d'acquiescer vigoureusement. Monsieur Antoine l'invita à s'asseoir et prit place en face de lui ; il saisit une des mains de l'enfant qu'il posa dans la sienne. Il avait les mains d'un tailleur de pierres bien plus que les mains lisses et soignées qu'on imaginait être celles d'un maître d'école et qui n'étaient pas sans lui évoquer celles de son père.

— Maintenant, imagine que cette peau toute tachée, s'est formée en 1896. Compte, nous sommes en 1961 ! Ça fait ?

— Soixante… -cinq.

— Eh oui ! Je suis donc né au siècle dernier. Eh bien, dis-toi que cette peau et cette main ont été touchées par ma grand-mère. Elle s'appelait Étiennette Antoine, elle était née à Combronde ! En… (il réfléchit quelques secondes, davantage pour savourer cette distance dans le temps que par défaillance de sa mémoire)… oui, en 1830 ! 1830 tu imagines ! Il y a cent trente et un ans ! Et j'ai même eu la chance de connaître mon arrière-grand-père, le père de ma grand-mère, qui était né, lui, en 1804, l'année du sacre de Napoléon, tu peux imaginer que cet homme qui a touché cette même main que toi aujourd'hui avait lui-même connu des gens nés au XVIIIe siècle, en 1700 et quelque… Et que ces mêmes gens qui avaient touché mon arrière-grand-père, qui lui-même avait touché cette main-là, que tu peux toucher toi aussi, avaient eux-mêmes connu des gens nés au XVIIe siècle et ainsi de suite… C'est vertigineux, aussi vertigineux que l'infini quand tu regardes le ciel et les étoiles. Les dates, si on y réfléchit bien, ne sont qu'une manière de donner des noms au temps pour ne pas se perdre. Rien de plus. Alors vois-tu, simplement par ce geste, à travers la main de mon arrière-grand-père qui a touché ma main et que tu touches toi aussi maintenant, tu deviens le contemporain d'un temps extrêmement ancien, le contemporain de Napoléon, de Hugo, de Racine, de Molière, de Louis XIV, de Jeanne d'Arc et de tous les autres, même si tous les autres ne savaient ni lire ni écrire pour la plupart. Tu sais, il n'y a pas que les grands hommes qui font l'histoire, eux, comment dire ?... (Gilles sentit dans sa main un léger tremblement comme si la recherche d'un mot juste pouvait ébranler tout l'édifice)... ils l'aspirent ! C'est ça, eux, ils aspirent l'Histoire.

Après lui avoir rendu sa main, comme s'il la reposait dans l'enfance, il prit une grande respiration avant de poursuivre :

— Eh bien... quand nous parlerons bientôt, toi et moi, d'Hiroshima, des camps de concentration ou de ce qui se passe en Algérie aujourd'hui, cela signifiera que tous mes aïeux en parleront avec les tiens qui viendront se pencher à ton oreille. Tu comprends, l'histoire des hommes, c'est l'inverse de la solitude. Et puis le passé, si nous savons le lire ou l'entendre, nous assure de ce qui est juste.

Gilles était quasiment sous hypnose et n'arrivait pas à croire ce qu'il entendait, c'est-à-dire des paroles qu'on ne lui avait jamais dites, ni chez lui, ni à l'école, ni à l'église et qui, dans le même temps, étaient celles qu'il attendait depuis toujours. Il comprit que cette rencontre avec l'ancien maître d'école allait largement dépasser le cadre de l'orthographe, qu'elle marquait la fin d'un temps et le début d'un autre. Toujours hissé sur la pointe des pieds, il tremblait, ses jambes le portaient à peine. Mais ce tremblement ne venait pas de Monsieur Antoine, ni de l'histoire. Ça venait d'une chose bien plus intime, qu'il avait toujours ressentie, presque tous les jours de sa vie, sans être capable de la nommer. C'était la bonté de son père. Elle le submergeait tout d'un coup.

Gilles ne put refuser la première dictée que lui proposait son nouveau maître comme un jeu, une manière de faire connaissance au plus vite, d'entrer dans le vif du sujet. Monsieur Antoine détestait les petites dictées que l'on dispense aux élèves. La banalité de leur contenu ne pouvait en aucun cas inciter et encore moins exciter le désir d'apprendre. Il fallait des textes difficiles, avec des formules biscornues, remplies de mots étranges, aux sonorités raffinées ou barbares. Les mots difficiles agiraient sur Gilles comme ceux d'une langue étrangère qui aurait pour effet immédiat de rendre le vocabulaire ordinaire plus facile à assimiler. Il prit le livre que Gilles avait emporté avec lui, l'ouvrit au hasard et commença à dicter. C'était la description de *Nanon*. Titre de la dictée : *Un cœur simple*.

Après ce premier exercice d'orthographe, Monsieur Antoine explora chaque mot bien plus qu'il ne les expliqua. Il en fit une nourriture rare et délicate. Il mangeait les mots sans jamais les croquer, à la manière d'une hostie, puis, après les avoir suffisamment répétés, caressés, humidifiés, ramollis, après avoir fait un tour par le latin, l'origine, le sens, l'histoire et être passé par toutes leurs métamorphoses au point qu'ils ne fussent plus aussi durs qu'au début, il en nourrit Gilles. Puis ils recommencèrent la dictée, et il n'y eut plus une seule faute. Recommencer était le secret de toute approche de l'écrit. C'est ce que Gilles apprit ce jour-là.

Il y avait de quoi ne plus tenir debout. Il prétexta qu'il devait aider sa mère avant l'arrivée de sa tante et de son oncle et s'enfuit. Monsieur Antoine le laissa partir en souriant. Cet enfant ne rendrait pas sa retraite plus heureuse, elle l'était déjà ; ni moins solitaire, il avait toujours aimé vivre seul avec ses livres, ses collections et ses souvenirs de voyage ; mais il eut la certitude que la présence régulière de Gilles allait la rendre plus vivante.

L'expérience de la peau, du temps et du passé avait eu sur Gilles un effet si impressionnant qu'il n'avait plus qu'un seul désir : mettre à profit ce qu'il venait d'apprendre, retourner auprès de sa grand-mère, prendre ses vieilles mains dans les siennes toutes neuves, pour entrer dans les siècles, toucher les morts au plus près et créer avec le roman qu'il lisait un lien temporel et une proximité presque physique. Les temps anciens se rapprochèrent furieusement, surtout quand la vieille, dans sa folie joyeuse, prit Gilles pour Albert, son « agneau tout noiraud » comme elle l'appelait quand il était petit. Elle se mit à parler le patois dont il ne comprenait que des bribes. Elle radotait sur les champs, les sous, la fatigue, la messe. Quand elle se tut, Gilles n'entendit plus que le chant du cerisier par la porte grande ouverte. Il se dit que les bruits du jardin de son père étaient identiques aux bruits de celui de la famille *Grandet* où *Charles* avait dit son amour à *Eugénie* ; et les éclats de graisses des pigeons farcis qui crépitaient et sifflaient dans le four étaient de toute évidence des bruits éternels. Il lui suffisait de fermer les yeux, d'effacer le Formica et le linoléum pour abolir le temps. Jamais il ne se sentit plus proche de son père qu'à ce moment-là. Il regretta qu'il ne soit pas près de lui pour partager cette expérience du réveil à remonter le temps.

Albert venait d'arriver près de la rivière. Il pouvait mourir. Il se demandait si, à force de l'avoir vu travailler son jardin, couper du bois, fouler les raisins de sa vigne, nourrir les bêtes et les tuer, Gilles comprendrait que son père n'avait pas seulement, toute sa vie, fait ce qu'il savait faire, qu'il ne s'était pas contenté de nourrir sa famille. Il espérait ardemment lui avoir appris à reconnaître les seuls gestes sur lesquels l'humanité s'était fondée, les seuls qu'il connaissait. Si Albert n'avait pas perdu toute croyance en Dieu, il serait tombé à genoux pour cet angélus étrange qui sonnait en lui. Où trouver du réconfort si Dieu n'existait pas, s'il n'était même plus capable de l'inventer ? Il eut envie d'aller se jeter aux pieds de la mère Morvandieux, cette charogne qui finissait péniblement, en plein cagnard, de gravir le chemin de l'autre côté du champ. Tous les vendredis depuis plus de quarante ans, elle se rendait au cimetière sur la tombe de son fils unique mort au champ d'honneur. Rien n'aurait pu l'empêcher de faire ce pèlerinage, ni la canicule ni la pluie ; elle arpentait le même chemin creux depuis presque un demi-siècle, connaissant chaque caillou et dégageant avec sa canne les petits obstacles qui pouvaient déranger sa marche folle. Même s'il n'avait que peu d'estime pour elle, Albert reconnut qu'elle faisait partie du paysage de sa vie. Et puis elle était si maigre, si vieille. Le corps malade de sa mère l'avait rendu plus indulgent. Peut-être avait-elle dans les poches rapiécées de ses vieilles robes de deuil quelque sacrement dont elles pourraient l'asperger ? L'air lui manqua. Albert s'enfonça sous les noisetiers qui recouvraient la Gorne. Un peu d'air lui parvint. Il était trempé sous sa chemise, au bord de l'insolation et le bruit de la rivière entre les cailloux couverts de vase vint à son secours. Entrer dans la rivière. Disparaître. En finir avec toutes ces émotions et toutes ces questions qui l'affaiblissaient. Il enleva ses sandales, retira sa chemise puis son tricot de peau blanc, ensuite son bleu et son slip qu'il abandonna sur un rocher laissant l'ombre des noisetiers recouvrir sa peau blanche. Nu, il se crut presque mort.

Il posa les pieds dans la rivière, laissa la fraîcheur de l'eau remonter par ses pieds pour l'irriguer tout entier. Il resta ainsi, debout. Il eut l'impression de fondre, puis de s'effondrer sur lui-même, avant de finir par s'allonger sur les pierres et la vase jusqu'à ce que ce filet d'eau glacé continue de le recouvrir, dégringole sur ses épaules, lui parle aux oreilles, l'inonde, l'immobilise et engloutisse dans le courant ce nouveau sanglot si difficile et si ancien qui le secouait tout entier. Albert ne résista plus à rien. Ce qui restait de ses pensées s'enfuyait avec ses larmes dans le gargouillis de l'eau. Il n'entendit plus que le chant des oiseaux, un battement d'ailes, supporta à nouveau le froid, les tremblements aussi, les frissons ; cette fois-ci, jusqu'à l'anesthésie totale de tous ses membres, jusqu'à devenir une autre pierre dans la rivière.

Mais la mort ne vint pas.

Elle ne viendrait pas sans venir de lui. Il avait toutes les raisons du monde d'en finir et il n'en finissait pas. Quelque chose lui manquait : le courage. Il en connaissait un rayon sur la question du courage, le vrai courage, après les années qu'il avait passées à la guerre et sur lesquelles personne n'avait jamais rien voulu savoir. Là-bas, sur la Ligne Maginot il avait appris qu'un homme ordinaire, comme lui, ne devenait un homme courageux que s'il était confronté à une peur plus grande que la peur de mourir, une peur capable de lui faire oublier la tristesse de sa propre mort.

Rien d'équivalent ne s'était présenté encore à lui. Il reconnut que la métamorphose de sa femme l'inquiétait, mais elle ne lui faisait pas peur, le dégoût qu'il avait éprouvé pour elle au sujet de la lettre de Gilles la rendait presque attendrissante ; la passion de Gilles pour les livres lui révélait seulement son impuissance à soutenir cet enfant qu'il aimait plus que tout ; et avoir trouvé la solution pour l'aider à continuer son chemin dans les livres ne l'apaisait en rien non plus. Quoi, alors ? D'où ça allait-il venir ? Quand ?

Dans la fraîcheur de l'eau qui coulait encore sur lui, il eut la certitude qu'il ne voulait pas que sa disparition puisse être prise pour un châtiment qu'il se serait infligé à lui-même, ou aux autres. Il voulait quelque chose d'autre : que sa mort, à défaut d'être une fin, ressemble à la réalisation d'un rêve qu'il aurait atteint, par un geste aussi simple que beau. Albert, qui ne priait plus depuis longtemps, se contenta d'espérer que ce miracle vînt avant la nuit.

L'Aronde de son beau-frère, André, était garée devant la maison quand Albert arriva. Personne ne put imaginer où il était passé depuis qu'il avait quitté la maison. Il embrassa sa sœur qui sortait de la cuisine et fit exprès de lui dire bonjour en patois. Liliane lui répondit en français. Parler patois serait perdre tout ce qu'elle avait essayé de conquérir dans cette France nouvelle dont elle partageait les promesses avec ses amies aux « femmes françaises » et avec Suzanne qu'elle avait connue, avant son mariage, à l'école de la Ruche, la grande école d'enseignement ménager. C'était elle qui avait présenté Suzanne à Albert.

Le passé n'intéressait pas non plus André, ou alors, à titre d'exemple, pour rappeler la misère et la vie infernale auxquelles les hommes avaient été soumis dans les temps anciens. À l'écouter, le communisme était une manière de rompre avec la féodalité du Moyen Âge bien plus qu'avec les excès de l'ère industrielle et du capitalisme. André appartenait à cette autre catégorie d'ouvriers, ceux qui étaient nés dans la Cité Michelin. Fils d'ouvrier syndiqué, il était naturellement entré au Parti communiste dès sa majorité, de la même manière que le fils d'une famille catholique serait entré dans une église pour célébrer sa communion solennelle, avec toute la dévotion que l'on doit à ses parents plus qu'à n'importe quel dieu. Albert éprouvait une grande admiration pour les communistes, même s'il n'avait jamais réussi à partager entièrement leurs idées, c'étaient des hommes fiables et fidèles en amitié. Pour Liliane, même si elle prétendait partager les convictions politiques de son mari, les choses étaient un peu différentes, sinon elle serait repartie d'Assys les mains vides. Chaque fois qu'elle leur rendait visite, elle repartait avec un de ces objets qui avaient appartenu à ses parents ou à ses aïeux, une lampe à pétrole, un bougeoir en cuivre, ou encore, lors de son dernier passage, un petit pot à lait en faïence bleuté, le bec ébréché que Suzanne avait retrouvé en faisant du rangement dans la souillarde et qu'elle n'aurait pas osé proposer à Monsieur Job. Ces reliques faisaient partie de l'héritage de Liliane et atterrissaient, le soir même, dans la vitrine de sa salle à manger en acajou pour rejoindre tous les autres vestiges du passé qu'elle époussetait une fois par semaine. L'approche du passé était donc pour elle moins politique, plus personnelle, presque plus historienne sans pour autant rejoindre la vision de son frère. Elle aimait voir le passé enfermé dans une vitrine, elle pouvait ainsi le surveiller davantage que le contempler. Une fois mis sous scellés, ces objets lui garantissaient que « l'ancien temps » était bien révolu, qu'elle n'aurait plus jamais froid, que les draps du lit ne seraient plus humides, que l'eau de la cuvette ne serait plus gelée les matins d'hiver, qu'elle pouvait prendre une douche et sécher sa tignasse au sèche-cheveux, et que le linge se laverait tout seul dans une machine. Le soir même de son mariage, elle avait quitté la maison d'Assys pour s'installer dans la Cité Michelin. Elle n'avait jamais eu de rêve plus grand pour elle-même ; et pour rien au monde elle n'aurait quitté sa Cité Michelin, sa coopérative Michelin, ses colonies de vacances Michelin, sa Sécurité sociale Michelin et ses voisins Michelin. En très peu de temps, la campagne de ses ancêtres était devenue, de la même manière que pour les bourgeois, un lieu de villégiature.

La table avait été dressée sous une tonnelle sur laquelle grimpait une vigne dont la ramure emprisonnait le peu de fraîcheur qu'il restait de cette fin de matinée. Suzanne avait passé une nouvelle robe bleue très simple, sans manche et assez près du corps, qu'elle avait confectionnée elle-même dans la semaine. Elle avait enlevé ses bigoudis et brossé ses cheveux ; c'était sa manière de prévenir qu'elle peaufinerait sa tenue après le repas, avant de se rendre chez le photographe. Albert installa sa mère, qui avait déjà déjeuné, dans son fauteuil, sous le cerisier, croyant cacher ainsi l'entaille qu'il avait faite dans le tronc. Liliane, qui avait toujours aimé le vin de son frère, n'avait pu résister à son verre de rosé frais. André replia *L'Humanité*, dès que les cornets de jambon macédoine furent déposés sur la table. Il paraissait satisfait et lança : « Ça avance, ça avance. » Le fait que le monde avançait était une évidence pour tout le monde. Personne donc ne crut bon de lui demander à quoi précisément il faisait allusion.

Le silence pendant l'installation autour de la table participait d'une sorte de rituel, un moyen pour tenter d'apaiser avant même qu'il ait commencé le conflit qui allait nécessairement opposer Liliane à son frère Albert. Face à face, autour de la table, le frère et la sœur trouvaient toujours un sujet de discorde. C'était une sorte de jeu auquel ils s'adonnaient pour leur plus grand plaisir mais qui mettait en péril la tranquillité du repas, même si Suzanne espérait chaque fois désamorcer toute cette agressivité en leur préparant des plats qu'ils appréciaient, uniquement des plats de leur enfance, à partir des recettes que Madeleine lui avait apprises. Ce jour-là, Suzanne compta beaucoup sur ses pigeons farcis, sur le saint-nectaire qu'elle avait choisi et sur la crème pâtissière qui accompagnait le baba au rhum et dont sa belle-sœur raffolait.

Liliane était née très tard, sa mère venait d'atteindre l'âge de quarante-cinq ans quand elle la mit au monde, deux ans avant la mort de son mari. Albert, à cette époque avait quinze ans. Il avait donc élevé sa petite sœur, ce qui expliquait qu'il ait mis si longtemps à se marier, lui qui était pourtant si convoité par les filles, d'après ce que Liliane avait toujours dit. Malgré son mariage, un an à peine après celui de sa sœur, il continua, plus ou moins, à jouer ce rôle de père auprès de sa sœur. Il savait qu'il pouvait la déstabiliser d'un seul regard. Il savait aussi que rien ne pourrait se briser entre eux, qu'il pouvait tout se permettre, et qu'elle pouvait tout supporter. La résistance qu'elle mettait à s'opposer à lui était une façon, non pas de lui montrer son indépendance de sœur ou de femme, mais d'attiser sa toute-puissance paternelle. Elle en avait besoin ; son frère était la seule puissance à laquelle elle acceptait de se soumettre. Il en était ainsi depuis toujours. Et quand Liliane était trop blessée par les reproches de son frère, elle se mettait à pleurer et obtenait sans rien ajouter la reddition totale d'Albert. Ça marchait à tous les coups. Mais aujourd'hui n'était pas un jour ordinaire, et les choses risquaient de prendre une nouvelle tournure, surtout s'ils abordaient la question du remembrement qui occupait toutes les conversations depuis quelque temps et qu'Albert avait pris soin d'éviter avec le brocanteur. Albert connaissait déjà le point de vue de sa sœur et de son beau-frère ; il savait qu'ils reconnaissaient dans ce projet du remembrement des terres agricoles une grande idée moderne, en parfaite adéquation avec le grand esprit de la reconstruction de la France qui passait par une plus grande production, et n'était pas sans leur évoquer l'un des pharaoniques projets agricoles si chers à Staline, le petit père des peuples qu'ils avaient vénéré et pleuré à sa mort avec la plus grande sincérité. Albert, après avoir déplié sa serviette qu'il coinça dans l'ouverture de sa chemise, trouva facilement le biais pour aborder le sujet. Un seul regard d'Albert vers Liliane qui semblait perdue dans ses pensées leur suffit. Tout le monde comprit que, à partir de ce moment-là, plus personne, à part Albert et sa sœur, n'existerait. Mieux valait donc s'occuper de ce qu'il y avait dans leurs assiettes et profiter pleinement de ce repas.

— À quoi tu penses ?

— Au cerisier. Ça fera drôle quand il sera plus là ! Qu'est-ce que j'ai pu y jouer petite…

— Les arbres, ça se replante.

— Les arbres oui, pas les souvenirs.

— Si les souvenirs sont si importants, pourquoi tu te fous complètement de cette histoire du remembrement ?

— Je ne vois pas le rapport.

— Il y en a un.

— Ah… oui peut-être, mais tu te trompes. Je crois même qu'il faut le faire, ce remembrement, si on veut sauver l'agriculture française. De Gaulle et Pisani sont très clairs là-dessus.

— Tiens donc ! vous êtes du côté du grand Charles maintenant ?

— Pas du tout !… sauf que quand de Gaulle a des grands projets pour développer le pays, je ne vois pas pourquoi on le suivrait pas. C'est pas parce qu'on est communistes qu'on est complètement idiots.

— Es-tu bien sûre que tu le suivrais s'il n'avait

pas eu la roublardise d'embaucher des communistes au gouvernement ?

— L'intelligence ! tu veux dire. N'empêche que ce que dit de Gaulle sur l'agriculture, moi je trouve ça bien.

— Pour l'agriculture, oui. Pas pour les agriculteurs... et encore moins pour les paysans. Et ça n'empêchera pas que les bonnes terres iront aux plus riches et les mauvaises aux autres. Et c'est ça que vous défendez, les communistes ? Au lieu de faire en sorte que chacun ait un peu de bonne et de mauvaise terre ? Qu'est-ce que tu crois ? Il va arriver le même merdier qu'avec les coopératives. Mais vous, dès que ça ressemble à des kolkhozes, ça vous va.

— De quoi tu te plains, au juste ? Vends-les ces terres, aux plus offrants ! Et ça aidera tout le monde... parce que j'aimerais bien savoir comment tu feras avec ta paye d'ouvrier si tu dois encore payer des études à Gilles ! Hein ?.. comment tu feras ?

— Tu y arrives bien, toi.

— Oui, mais nous, on est deux à ramener des sous à la maison. Et on y arrive tout juste même si Julien est à l'école normale. Tiens, et toi, Gilles, j'espère que tu veux devenir instituteur au moins, comme ton cousin ?

— Je sais pas.

— Tu devrais savoir. Parce qu'au moins tes études seraient payées et ça aiderait bien tes parents.

— Ah oui, aider ses parents ! Ça, c'est bien ! Il faut dire que tu as beaucoup aidé les tiens par le passé.

— Je préfère ne pas répondre à ça.

— Parce que tu n'as rien à répondre, sinon tu ne te priverais pas, te connaissant comme je te connais.

— Bon ! Mais toi, Gilles, tu veux faire quoi plus tard ?

— Qu'est-ce que tu veux qu'il fasse, il ira à l'usine !

C'était Suzanne qui venait d'intervenir et à qui on ne demandait rien. « Non, mais c'est vrai. Qu'est-ce que tu veux qu'il fasse avec les fautes d'orthographe qu'il fait. »

— Ça suffit.

C'était la deuxième fois qu'Albert empêchait sa femme de parler aujourd'hui. Il surprit tout le monde par la violence de sa réaction, même Liliane marqua un temps d'arrêt.

— Mon fils n'ira pas à l'usine parce que c'est un littéraire. C'est Monsieur Antoine qui l'a dit. Un li-tté-rai-re ! Et il n'y a pas de littéraires dans les usines. Tu y connais quelque chose, toi, en littérature ? Moi non, j'y connais rien. Alors c'est lui qui fera travailler Gilles à partir d'aujourd'hui. Point.

Albert s'adressait à son fils bien plus qu'à sa femme à travers ses réactions un peu vives. Il autorisait Gilles publiquement à continuer ses lectures, à ne surtout pas y renoncer malgré ce qu'il avait annoncé dans sa lettre. Cet aveu donna tout son sens à la « machination » et permit à Gilles de mesurer précisément ce que son père attendait de lui.

La discussion aurait pu continuer sur ce thème, mais Liliane, qui ne supportait pas, au fond, d'avoir perdu la vedette, profita d'un silence pour se faufiler dans cet interstice et relancer, la bouche pleine, la discussion sur le remembrement.

— Pour en revenir à cette affaire du remembrement, tu fais ce que tu veux, ce que tu veux ! Mais il faut quand même que tu acceptes que j'aie mon mot à dire. Et puis alors, franchement, pas la peine de me faire tes yeux noirs !

Elle partit d'un grand éclat de rire espérant avoir eu le dernier mot. Albert laissa s'installer un nouveau silence pour lui laisser le temps d'apprécier ce moment. Liliane n'imaginait pas ce qu'elle venait de déclencher. Elle chercha un soutien autour d'elle comme si dans le regard noir de son frère elle venait de pressentir le pire ; elle n'en trouva aucun, ni de la part de sa belle-sœur, ni de son mari. Gilles lui concéda un sourire, mais pas le sourire d'un allié, plutôt le sourire du supporter du camp opposé quand il sait que l'adversaire de son idole ne va plus tarder à être mis à mort. Albert détacha avec ses doigts une cuisse de son pigeon farci, la porta à sa bouche et la suça très longuement, comme s'il voulait s'empêcher de parler. Personne n'était dupe et chacun savait que cela faisait partie de sa stratégie. Il prit même le temps de manger la deuxième cuisse dont il eut l'air de se régaler, tout en finissant de lécher ses doigts qui avaient recueilli tous les sucs de la volaille.

— C'est incroyable comme tu es prévisible, ma pauvre Liliane. Si je comprends bien, tu penses que la vigne, le jardin, l'hectare de bois dans la forêt de la Comté et même cette maison, tout ça t'appartient pour moitié ?

— C'est quand même la vérité.

— Hé non, ma petite fille. C'est pas la vérité du tout.

— Tiens donc ! Et c'est quoi la vérité ?

— T'es bouchée ou aveugle. Ou alors tu es devenue idiote et méchante.

— Idiote et méchante, moi ! reprit-elle en hoquetant comme si elle venait de s'étrangler avec un os de pigeon. Y'a des limites, Albert ! Si c'est pour me faire insulter, tu sais quoi ? c'est pas compliqué, je viendrai plus.

— Viens plus.

Suffoquée par l'aplomb de son frère, elle commença à pleurer tout en essayant de retenir avec les coins de sa serviette l'eye-liner qui coulait sur ses joues. Tout se passait comme elle l'avait prévu au cas où elle perdrait pied. Elle pleurait facilement, mais, pour la première fois, Albert ne se laissa pas attendrir. Il alla jusqu'au bout sans aucun scrupule au grand étonnement de tous. Même Suzanne s'était rassise et André, comme Gilles, se disait qu'il était trop tard pour intervenir.

— Je te rappelle Liliane, que le jardin, la vigne, le bois, le champ des Jalons, celui de la Borne et cette maison… Oui cette maison où je vis avec MA femme et MES enfants… appartiennent à notre mère… À notre mère ! Ni à toi ni à moi. Elle en a eu l'usufruit à la mort de notre père qui lui-même en avait hérité de son père... Et, que je sache, notre mère n'est pas encore morte.

Madeleine était restée assise dans son fauteuil, sous le cerisier tout le temps du repas, à moitié assoupie par la digestion, sans même savoir que ses enfants déjeunaient tout près d'elle.

— Pourquoi tu fais comme si ta mère était morte ?

— Je ne fais pas comme si ma mère était morte ! Qu'est-ce que tu racontes ?

— Je parie que tu l'as même pas embrassée quand t'es arrivée.

— Qu'est-ce que t'en sais, tu n'étais pas là.

— Tu l'as embrassée, oui ou non, ta mère ?

— Tu me fatigues, voilà !

— Tu l'as embrassée ou tu l'as pas embrassée ?

— Elle reconnaît personne !

— Oui mais, toi, tu sais qui ELLE est ! Ou ça aussi tu l'as oublié ?

— D'accord ! Non je l'ai pas embrassée, voilà, t'es content ? Et tu veux nous faire croire que c'est elle qui va prendre la décision pour cette histoire de remembrement ? Toutes les décisions ?

— Pourquoi pas. C'est pas parce qu'elle reconnaît personne qu'elle comprend plus rien. Elle sait ce que c'est que des gens qui veulent lui voler sa terre, son travail, son passé, toute sa vie, quoi ! Faudrait que tu la voies réagir avec Job quand il entre ici. Elle se raidit. Elle est comme une muraille.

— Je ne sais pas lequel est le plus aveugle des deux ! Tu as vu dans quel état est notre mère ? Si quelqu'un doit prendre la décision, c'est toi.

— Heureux de te l'entendre dire.

On aurait pu croire qu'il était arrivé à ses fins et que le repas allait pouvoir reprendre sans conflit, mais son objectif, encore très flou pour tous les autres, n'était pas tout à fait atteint.

— Écoute-moi bien, et toi aussi André parce que je sais que pour toi la parole est sacrée, et il est temps de mettre les choses au point, ou plutôt de les remettre au point. C'est nous… – Suzanne surtout ! – qui nous occupons de ma mère qui est aussi la tienne et, crois-moi, elle peut remercier le ciel d'avoir une belle-fille pareille.

C'était la première fois qu'il reconnaissait le travail et le dévouement de sa femme. Cet hommage inattendu eut pour effet de réveiller Suzanne bien plus que de la rassurer. Elle ne mit pas longtemps à prendre conscience que ce compliment n'était, au fond, qu'une passerelle qui permettrait à son mari d'aller un peu plus loin dans son projet de mise à mort, rien de plus.

— … En échange de quoi, ma petite Liliane, tu as pu quitter cette maison et vivre ta vie à ta manière, après être tombée enceinte à seize ans, je te rappelle.

— Et je te rappelle que j'ai fait une fausse couche le jour de mon mariage !

Elle s'était mise à hurler comme si elle avait voulu rappeler ce drame à tout le village ou pour impressionner son frère, dans l'espoir qu'il eût pitié d'elle.

— De quoi tu parles, puisque tu t'es mariée par amour. On est bien d'accord ? C'est ce que tu m'as dit à l'époque, que tu te mariais par amour ?

— Tu es infernal.

— Donc, dans l'accord que nous avons passé, il y a vingt-deux ans, je te rappelle que la maison nous revient.

— Mais je le sais, ça, je le sais !

— Non tu ne sais rien puisque tu as tout oublié ! Donc, s'il m'arrivait quelque chose, cette maison reviendrait à ma femme et à mes enfants. Et je n'ai pas besoin de faire le moindre papier pour ça, ça prendrait trop de temps. N'est-ce pas André ? Maintenant pour ce qui est de la décision concernant le remembrement, elle est déjà prise.

— J'en étais sûre, j'en étais sûre ! Je l'aurais parié ! Il a refusé ! C'était bien la peine de faire tout ce foin, je te connais par cœur.

— Eh bien, il faut croire que non. Quand je dis elle est prise, ça veut juste dire que le conseil municipal de Saint-Sauveur a voté le remembrement. C'est fait. Personne ne m'a demandé mon avis et personne ne te le demandera ni le demandera à notre mère. Pourquoi ils le feraient d'ailleurs ? Ils savent que ça lui appartient, ils sont très bien renseignés. Et ils sont comme toi, oui comme toi, ils pensent qu'elle ne vaut plus rien. Maintenant, c'est aux géomètres et à l'administration de faire le boulot. Et, là non plus, personne n'aura son mot à dire, sauf ceux qui auront les moyens, si tu vois ce que je veux dire. Et, comme tu le sais, je suis pas agriculteur, je l'ai jamais été d'ailleurs, disons plutôt : comme je ne suis plus paysan comme notre père et notre grand-père et tous les autres avant eux, puisque je suis un salarié de Michelin, tu imagines bien que la terre qu'ils vont me donner en échange ne vaudra pas un clou… Alors ne compte pas avoir grand-chose pour ton héritage. Et j'en suis sincèrement désolé pour toi.

Sa sincérité ne pouvait pas plus être mise en doute que sa colère. Cette conclusion inattendue ramena le calme dans le jardin. Suzanne posa à côté du saladier un saint-nectaire entier, légèrement creux au centre qui laissait présager de son onctuosité, recouvert d'une belle moisissure grise et duveteuse qui ordinairement aurait fait l'admiration de tous ; il n'y eut aucun commentaire sur la beauté du fromage, ni sur sa maturité, ni sur sa fleur, ni sur son goût. Comme si les mises au point avaient rendu insipides toutes les petites choses de la vie auxquelles ils étaient pourtant tous si attachés.

Albert se tut jusqu'à la fin du repas. Gilles regardait l'heure parce qu'il ne pensait qu'à une seule chose : finir le roman de Balzac et se préparer pour sa nouvelle séance chez Monsieur Antoine prévue le lendemain matin.

Suzanne apporta son baba au rhum, crème pâtissière et framboises espérant provoquer ce petit miracle qui mettrait fin à toute cette tension. Effectivement, André donna son verdict au sujet du repas, toujours par la même phrase : « Suzanne je me suis régalé et alors ton baba… Je suis plein ! »

Albert, grand joueur, finit par éteindre les derniers petits feux de broussailles qu'il avait allumés dans tous les esprits.

— Et si on allait faire un tour à la cascade, ça fait un bail que j'y suis pas allé.

— La cascade ? T'y penses pas ! Le temps d'y aller et d'y revenir. T'as vu l'heure ? Il est presque deux heures, et Laforge livre le poste vers trois heures, trois heures et demie il m'a dit.

— On n'est peut-être pas obligé d'être tous là, rappela Albert.

— Ça, c'est vrai. Alors vas-y si tu veux. Ça te calmera, ajouta Suzanne pour lui faire remarquer à quel point elle n'avait pas apprécié son attitude pendant tout le repas.

Albert venait d'offrir aux deux femmes qui occupaient une si grande place dans sa vie le meilleur moyen de se venger de lui. Il avait parfaitement conscience de l'étrangeté de son comportement. La balle logée tout près du cœur n'avait pas encore bougé, mais il ne désespérait pas qu'elle se déplaçât bientôt.

Suzanne donna l'impression de s'asseoir enfin à la table, alluma une cigarette, laissa Liliane préparer le café. Dès la première bouffée, toute sa tension se relâcha. Elle ne pensa pas à Gilles et à cette histoire de littérature, elle se disait juste que ni Albert, ni Liliane ne se souviendraient de ce qu'ils avaient mangé ce jour-là, ni du soin qu'elle avait apporté à chaque plat, ni de l'attention qu'elle avait mise dans l'organisation de cette journée qui était si importante pour elle. Suzanne n'espérait plus qu'une chose maintenant, que la télévision soit livrée, que le soir vienne et que son fils lui apparaisse enfin.

Comme Albert l'avait fait, le *père Grandet* aussi organisait tout dans sa maison, il définissait les contours, le cadre, l'organisation et, soudain, cela ne fit aucun doute pour Gilles : le comportement du père d'*Eugénie* était une preuve d'amour et de protection. Gilles comprit alors que chaque roman qu'il lirait l'aiderait à comprendre la vie, lui-même, les siens, les autres, le monde, le passé et le présent, une expérience similaire à celle de la peau ; et chaque événement de sa vie lui permettrait de la même manière d'éclairer chacune de ses lectures. En découvrant cette circulation continue entre la vie et les livres, il trouva la clé qui donnait un sens à la littérature ; mais il eut, dans le même temps, le pressentiment, après la vivacité de la conversation, l'avalanche des reproches, les basculements de situations qu'il n'aurait jamais imaginés quelques minutes auparavant, que la vie, comme les livres, était une source infinie de rebondissements, d'imprévus, de choses secrètes enterrées sous les mots, que rien n'était immuable et que tout se transformait sans cesse.

Le temps de la vaisselle après le repas était un temps presque sacré où les femmes se retrouvaient sans les hommes. C'était l'occasion pour elles de remettre les choses en place et de ranger les pensées comme les objets en deux catégories, les fragiles et les ordinaires. Elles commençaient toujours par les fragiles. Liliane s'inquiéta du comportement de son frère tout en essuyant les verres à pied que Suzanne avait sortis exceptionnellement. Si elle connaissait parfaitement sa rugosité, elle connaissait aussi sa foncière bonté qui l'avait toujours aidée à supporter ses attaques, mais celle-ci semblait avoir totalement disparu. Suzanne était d'accord, bien qu'elle n'ait jamais eu à se plaindre de la dureté de son mari jusqu'à aujourd'hui. Mais elle n'en dit pas un mot. Elle évoqua seulement sa façon de s'absenter ces derniers temps. Elle savait qu'après l'usine il avait toujours eu besoin de faire autre chose. Si ce n'était pas le jardin, c'était ses pendules, et si ce n'était pas ses réveils cassés, c'était l'accordéon, si ce n'était pas la musique, c'était la vigne qu'il fallait sarcler, tailler, les vendanges, le raisin à fouler, le bois à couper. Tandis qu'elle faisait cet inventaire, les larmes lui montèrent aux yeux comme si elle venait de dresser le portrait d'un homme remarquable, idéal pour sa famille, sans comprendre qu'il avait fait de cette idéalité justement un refuge duquel il n'arrivait plus à s'échapper. Liliane s'était bien gardée de l'interrompre et, après un calcul très simple, elle en était arrivée à la conclusion que le couple n'avait plus d'intimité depuis longtemps.

— L'âge sûrement. Treize ans de différence… Au début, ça se sent pas entre un homme et une femme ; et puis, avec le temps, ajouta Suzanne, laissant sa phrase en suspens pour étouffer son chagrin de femme dans le bruit de la vaisselle.

— Tu sais, parfois je me demande s'il m'aurait épousée, si tu t'étais pas mariée si jeune.

Suzanne posait une question que tout le village s'était déjà posée. Albert avait entretenu avec sa jeune sœur une relation qui dépassait le cadre fraternel, et à laquelle il était difficile de donner un nom. Tout ce qu'il faisait avant son mariage, il l'avait fait pour sa sœur. Toute sa paye y passait. Il fallait qu'elle soit la mieux habillée. Il l'avait élevée comme une personne singulière qui méritait toutes ses attentions, comme un fiancé avec sa promise. Plus d'une fois Madeleine Chassaing avait tenté de séparer ce couple qu'elle avait créé contre sa volonté. Les veuves du village avaient réussi à faire peser le doute, et les garces en étaient arrivées à la conclusion que l'enfant que Liliane avait attendu à seize ans était un enfant de son frère. Jamais Albert n'avait eu le moindre geste suspect ou déplacé envers sa « petite fille », comme il l'avait longtemps surnommée ; sa passion pour cette enfant qu'il élevait avec sa mère avait fini par créer autour d'eux un monde si particulier, si étrange, qu'Albert n'avait jamais réussi à trouver l'équivalent depuis. L'annonce des fiançailles de Liliane avec André avait brisé cette privauté qu'il avait construite, jour après jour, pour la protéger du monde extérieur. Peu de temps après le départ de Liliane, il avait réussi à se persuader que la figure emblématique de ce monde n'était pas sa « petite fille », mais sa mère. Ce fut un soulagement. Il ne lui resta plus qu'à remplacer Liliane par Suzanne.

Les leçons que Suzanne avait reçues à l'école d'enseignement ménager, après sa sortie de l'orphelinat, ne lui avaient pas garanti de faire un bon mariage, elles lui avaient, du moins, appris à l'améliorer, voire à le sauver s'il se trouvait en danger, grâce à certains petits raffinements qu'aucune femme moderne digne de ce nom ne pouvait ignorer, qu'ils fussent culinaires ou bien du domaine plus privé – comme la toilette du soir, à laquelle toute épouse devait s'adonner avant de rejoindre son mari dans le lit. Sentir bon fut pour Suzanne la première qualité d'une épouse. Mais les hommes n'imaginent pas combien les femmes transpirent et se salissent pour rendre leurs maisons impeccables. Impossible d'entrer dans un lit sans une vraie toilette. Suzanne se couchait donc la dernière pour profiter de l'évier de la cuisine et se laver de la tête aux pieds. De soir en soir, d'année en année, ce moment de la fin de journée devint celui qu'elle attendait le plus ; il lui était même arrivé de l'attendre avec une certaine excitation. C'était le moment où elle pouvait tout effacer. C'était là, quand tout le monde, son monde après tout (elle n'en connaissait pas d'autre), son mari, ses fils et sa belle-mère avaient rejoint leurs chambres, qu'elle pouvait écouter battre son cœur, et laisser ce battement faire monter en elle toutes sortes de pensées qui, au fur et à mesure des années, avaient transformé ses rêveries de petite fille en images obscènes, des choses d'une intimité et d'un raffinement extrêmes entre les hommes et les femmes. Quand elle remontait se coucher, Albert lui demandait souvent ce qu'elle pouvait bien fabriquer pour passer tout ce temps à sa toilette. Elle répondait « ça ne regarde pas les hommes », sachant que le premier devoir d'une épouse était de maintenir ou de créer le mystère, pour laisser son homme imaginer toutes les fantaisies qui pouvaient exciter en lui l'envie d'en savoir plus, ou simplement de vérifier s'il avait vu juste. C'était surtout le seul moment de la journée où elle pouvait prendre la mesure de sa vie. Au début, ce fut un moment de grâce où elle se contentait d'écouter le silence endormi de sa maison mais, les années passant, la grâce avait fait place à la réflexion, l'interrogation à la jouissance, puis ces derniers temps à l'inquiétude. C'était dans un de ces petits moments volés qu'elle s'était mise à fumer sa première cigarette trouvée dans un paquet que Paul Marsan avait oublié. Ça l'aidait à tenir le coup, depuis quelque temps tout était une question de désir et de volonté, de croyance et d'effort, de beauté et de propreté. Elle avait peur. Elle sentait bien que son amour pour son mari faiblissait de jour en jour alors que grandissait en elle sa passion pour son fils aîné. Tout chancelait et aucun des éléments modernes qu'elle avait apportés dans cette maison ne semblait pouvoir empêcher la catastrophe qui s'annonçait et qu'elle imaginait venir du fond de l'Algérie. Juste un pressentiment, presque rien. Mais qui brouillait suffisamment le paysage de sa vie ordinaire et bien ordonnée pour qu'elle n'arrive plus à prendre la mesure réelle du désarroi d'Albert. Le pivot de cette maison était en train de s'effondrer, sauf qu'elle n'arrivait pas à croire que ce pivot était encore son mari.

L'APRÈS-MIDI

Remembrement. Albert détestait ce mot qui laissait supposer que le monde de ses ancêtres avait été un monde démembré, sans structure, une espèce de grand cadavre aux membres éparpillés, qu'il ne fallait surtout pas reconstituer et auquel il fallait redonner une autre forme, plus homogène, dans un ordre plus simple, plus productif, un monstre en somme. Et puis comment être de tous les temps ? C'était impossible. Albert en arrivait à se dire qu'il ne supportait plus cette trinité du passé, du présent et de l'avenir qui finissait, à force de contradictions, par nécroser sa vie d'homme simple. Il ne se rendit pas à la cascade comme il l'avait proposé, mais ses pas l'avaient naturellement conduit au champ des Jalons, un demi-hectare bordé de petites haies et de chênes qui longeaient la Gorne cachée sous les noisetiers, qu'on allait lui enlever et où il avait espéré mourir avant midi. Ça n'était pas grand-chose, ce lopin de terre, quelques sillons de pommes de terre et tout le reste en luzerne pour ses lapins.

Albert sentit que cette expérience avec le corps

intime et moribond de sa mère lui avait aussi rendu une sorte d'humilité qui lui rendait ses émotions perdues, toutes celles qu'il avait si longtemps gardées enterrées au fond de lui, un trésor dont il découvrait la richesse intacte après toutes ces années durant lesquelles ni sa vie d'ouvrier, ni sa vie de mari, ni sa vie de père lui avait permis de les retrouver. Maintenant, devant le pauvre champ des ancêtres, tout remontait en lui. C'était ça, aussi, les larmes de vieux qu'il avait eues ce matin dans son lit. Il avait toujours tout gardé pour lui, même s'il lui était arrivé de les ressentir furtivement en travaillant son jardin ou sa vigne. Oui, quelquefois ça lui était venu à cause d'une odeur, d'une lumière ou d'un souvenir ; mais là, devant ce paysage saturé de lumière qu'il redécouvrait, toutes ses émotions revenaient en lui dans un désordre incontrôlable. Ce fut un frémissement sous sa peau d'homme qui, étrangement, le rafraîchit jusqu'à provoquer une multitude de décharges électriques qui excitaient son plaisir et le laissaient tout étonné. Albert, au cœur du champ de son enfance, dans ce paysage millénaire, jouissait soudain d'être vivant. L'image de Suzanne le traversa. Sûrement aussi à cause des effluves de giroflées qui lui arrivaient par brassées. Il aimait son odeur d'eau de Cologne quand elle montait se coucher et parfumait tout le lit. Il se dit que, s'il mourait, il aimerait être enterré dans un linceul imbibé de ce parfum, que c'était bien la seule chose qu'il pourrait emporter avec lui dans l'Au-delà. Il se sentait bien. Mais ce fut autre chose, de bien plus inattendu que l'idée de l'Au-delà qui l'apaisa tout d'un coup, une image qui remonta jusqu'à lui avec la force d'une lame de fond à travers le temps et les générations, une image insoupçonnable : le geste du semeur. L'ampleur du geste de son arrière-grand-père, de son grand-père et de son père jetant devant eux la semence dans la terre labourée réveilla la mémoire des labours et ressuscita en lui l'histoire.

1882. Sa grand-mère, la mère de son père, était morte en mettant son dernier fils au monde. Son père était le benjamin d'une fratrie de neuf enfants qui s'étaient tous évaporés dans le XXe siècle, quasiment sans laisser de traces. C'était dans ce champ que l'histoire avait eu lieu. Le maître du château et le propriétaire des terres avait refusé à son métayer, le grand-père d'Albert, un nouveau cheval pour remplacer celui qui s'était blessé en dévalant un ravin et qu'il avait dû abattre. Trop cher ! Il n'avait qu'à faire plus attention à ses bêtes ! Odilon s'était dit que, si la récolte était bonne, il pourrait faire l'avance pour acheter un nouveau cheval. Mais, cette année-là, il neigea en plein mois de mai et ce fut un désastre. Alors, quand il s'était agi de faire les labours, à l'automne suivant, sans cheval et sans aucun soutien de son maître, le grand-père d'Albert décida que son plus jeune fils, Camille, prendrait la place de la bête de somme. Et, pour que la honte ne s'ajoute pas à la douleur que représentait, pour un homme de ce temps, de devoir harnacher son fils à la place du cheval, de lui faire supporter les sangles de cuir qui allaient blesser ses épaules, les labours se firent de nuit, éclairés par deux autres de ses enfants qui portaient des torches. « *Que veux-tu, concluait Camille Chassaing,* quand il racontait cet épisode à Albert, *j'étais le plus jeune de mes frères, mais j'étais le plus costaud. Mon père disait que c'était normal, puisque j'avais pris toute la vie de la mère en naissant.* » Puis après un grand silence son père ajoutait, sans regret et sans colère : « *Eh oui, c'était comme ça, en ce temps-là.* »

Les images se soulevaient de terre comme des mirages du passé. Oh oui, sa vie à lui était meilleure, bien meilleure que la vie de son père et de son grand-père, c'était indiscutable ! Sauf que ça s'était passé là, c'était à cet endroit que la terre avait bu la sueur et le sang de l'enfance de son père, cette même terre qui avait nourri Albert et qui l'aidait encore aujourd'hui à nourrir sa famille. Ça le travaillait de partout. La carcasse se fissurait. Les pensées s'enfuyaient et le menaçaient. Comment ses fils sauront-ils que leur vie est meilleure si l'on efface toutes les traces d'avant ? Le remembrement n'allait pas seulement tuer le souvenir, il allait effacer les traces du passé. Perdu à tout jamais, l'enfant martyr qui adorait les siens ! Oui, il aurait pu tuer de Gaulle et Pisani, là, d'une seule main s'il les avait eus devant lui. Enfant, il avait vu son père travailler, il avait pu l'admirer autant que le craindre, et sa mère encore davantage ; mais Gilles, et même Henri, qu'avaient-ils vu et que savaient-ils de leur père et de leur mère ? Que leur avaient-ils transmis ? Il évacua Suzanne qu'il ne voulait pas accabler. Quelle image ses fils pouvaient-ils avoir de l'homme qu'il était, de son travail à l'usine ? Que pourraient-ils en raconter ou en retenir ? Ils ne savaient rien. L'usine était bien trop loin d'Assys ; même les enfants de Liliane, qui vivaient tout près des grandes cheminées Michelin, ne savaient rien du travail de leurs parents, si bien protégé derrière les hauts murs, en plein cœur de la ville noire, parce qu'il fallait, au fond, cacher la misère de ce travail qui ne procurait, en dehors du salaire, aucune satisfaction. Et puis il y avait ce mot de « Moderne » que tout le monde avait à la bouche, le diapason des temps nouveaux, qui donnait des vertus presque magiques à chaque objet, comme ce poste de télévision, et les contraignait au pire des sacrifices : le renoncement à tout ce qui s'était passé avant. Ça n'aurait pas été pire si on avait demandé à Albert de profaner les tombes de ses morts et piétiner les restes de leurs cadavres. Le monde avançait, comme disait son beau-frère chaque fois qu'il refermait *L'Humanité*, mais Albert ne voulait plus avancer avec lui.

Le poste de télévision faisait l'objet d'une véritable autopsie, et Suzanne regardait avec intérêt l'installateur ouvrir le ventre de l'appareil répétant à chaque découverte : « Ah ! Quel dommage que le patron soit pas là, ça l'aurait intéressé », convaincu qu'Albert se serait sûrement passionné pour cet étrange mécanisme qui se cachait à l'intérieur du poste et qui allait produire des images parlantes dans la cuisine. L'installateur commença une démonstration, volontairement confuse d'abord, sur la technologie complexe de la télévision. Puis il fit les dernières mises au point, grâce aux différents boutons dorés placés sur le devant, tout en énumérant les précautions indispensables à prendre pour entretenir le poste. Sur l'écran n'apparurent que des bandes grises et noires sur lesquelles, comme sur des rubans de magnétophone en vitesse rapide, grommelaient des sons inaudibles qui stupéfiaient l'auditoire. L'installateur réclama un peu de patience : le réglage qui garantissait l'apparition des images demandait plus de doigté qu'il ne l'avait imaginé. Assys était dans un creux et l'antenne devait être mal orientée. André accepta de monter sur le toit.

Liliane s'était réfugiée dans le camp de sa mère. Étrangement, les reproches de son frère l'avaient apaisée. Elle l'avait rejointe à l'ombre du cerisier. Assise en face d'elle, elle lui prit les mains en répétant : « Ma petite maman, ma petite maman. » Albert disait souvent que Liliane ressemblait trait pour trait à Philomène Caspin, la mère de Madeleine. Il n'était pas difficile de comprendre à qui la vieille adressait ses regards béats d'admiration. Quand Liliane sentit ce regard émerveillé se poser sur elle, ses grands yeux bleus, et si bien peints, se mouillèrent d'une infinité de petites larmes qui les firent briller. Elle finit par lui rendre son sourire tout en pressant ses vieilles mains de travailleuse dans ses jeunes mains d'ouvrière pour apaiser les vérités que son frère lui avait assenées. Sans un mot, chacune donnait l'impression d'attendre un miracle et, dans cette attente mutuelle, une infinie légèreté les traversait comme si elles s'étaient tenues en apesanteur. Quand Liliane oubliait ses principes, ses revendications, ses projets de vacances en Espagne, elle redevenait, loin des regards, une jeune fille capable de manifester de la manière la plus naturelle son affection, sans aucune pudeur. Elle savait toucher ceux qu'elle aimait et, dans la douceur de ses gestes et de ses caresses, la grâce semblait l'habiter. Liliane, que Gilles n'avait cessé d'observer dans cette remontée des siècles, lui apparut pour la première fois aussi belle qu'une perle fine rapportée des profondeurs humaines, toute ronde et toute lisse. À ce moment, il comprit mieux ce que son père pouvait lui reprocher. Il était seul à connaître la nature de sa sœur, au plus profond d'elle.

Comme un plongeur sous-marin, Gilles refaisait surface après une longue apnée dans le XIXe siècle. Il n'avait même pas vu les voisines s'agglutiner autour du poste de télévision près de sa mère. Gilles ne remarqua que l'absence de son père. Qu'était-il allé chercher là-bas, vers la cascade ? Depuis sa première séance chez Monsieur Antoine et la déception de son père quand il fut incapable de citer de mémoire une phrase de Balzac, Gilles décida d'en apprendre quelques-unes par cœur : « *Est-ce que nous ne vivons pas des morts* ? » « *L'amour lui expliquait l'éternité.* » « *Si la lumière est le premier amour de la vie, l'amour n'est-il pas la lumière du cœur ?* » Ces phrases qui faisaient écho en lui mystérieusement semblaient dire ce qu'il n'avait, jusqu'à ce jour, jamais réussi à traduire en mots. Depuis le début de cette lecture difficile, Gilles avait la certitude qu'il ne serait plus un enfant le jour où il serait capable de formuler ce qu'il ressentait. Il eut honte de la lettre qu'il avait écrite à ses parents pour leur dire qu'il serait un enfant sage et remarquable. Les phrases de Balzac avaient bien plus de valeur que ses promesses sans fondement. Il avait de plus en plus l'impression que le livre, au-delà de l'histoire qu'il racontait, parlait de lui, comme lui-même n'était pas encore capable de le faire. C'était étrange et fascinant. Il en jouissait de la même manière que le *Père Grandet* jouissait de son or. Il jeta un œil dans le jardin, Liliane était toujours en conversation avec sa mère sous le cerisier. Depuis quelques minutes, le silence était retombé sur la cuisine. L'installateur, une main à l'intérieur de l'appareil et l'autre manipulant les boutons dorés, cherchait à capter les ondes invisibles.

Enfin, une image apparut.

Tout le monde retint son souffle, mais pour rien. Les programmes n'avaient pas commencé. Une image fixe occupait l'écran, que l'installateur appela la mire. On y voyait un cheval ailé monté par un musicien à moitié nu qui jouait de la trompette. Cette image encadrée d'un camaïeu de rayures et de carrés qui allaient du noir au blanc intrigua tout le monde. L'installateur n'eut pas d'explication à fournir sur ce personnage, ni sur ce cheval avec des ailes, ni pourquoi on avait choisi cette image pour faire patienter les futurs téléspectateurs mais il se risqua quand même à dire qu'il devait s'agir d'une sculpture antique, grecque, peut-être romaine.

— Romaine ? Et pourquoi pas Jules César tant qu'on y est ! Ils auraient mieux fait de mettre Vercingétorix. Au moins tout le monde le connaît chez nous, s'exclama André dans l'une de ses rares interventions.

La critique de la télévision commença dès cette première image. Gilles profita de ce moment de légère panique et du retard de son père pour s'éclipser, espérant aussi échapper à la séance chez le photographe qui devait sacraliser cette journée.

L'idée de se faire photographier était un calvaire pour Gilles. Remué par ces histoires d'images et de télévision, il profita du temps qu'il lui restait pour retourner auprès de Monsieur Antoine qui ne l'attendait pas avant le lendemain matin. À peine arrivé, Gilles lui posa d'emblée une question qui surprit l'ancien maître d'école. Quelque chose, dans la photographie, l'intriguait depuis longtemps. Il voulait savoir si le corps des photographiés était contenu sous les vêtements dans les photographies ? L'image était-elle la personne ou seulement son apparence ? La question était de taille, et Monsieur Antoine lui apprit qu'au sujet des images tout était question de mots, que si, dans les mots et au-delà des mots, il y avait des images, il n'y avait pas d'images sans mots, aucune, pas même les photographies et encore moins les portraits. Gilles ne comprenait pas. Monsieur Antoine lui expliqua que les images étaient sources de toutes sortes de récits, qu'en regardant une photographie on pouvait se souvenir d'une personne, se rappeler son corps, sa façon d'être, de se mouvoir, de parler, mais qu'on pouvait aussi extrapoler à partir des éléments visibles jusqu'aux choses invisibles... Les images ne disent rien, elles font dire.

— C'est pour ça, conclut-il, que nous les avons inventées, nous les hommes !

Nous. Ce Nous que Monsieur Antoine avait déjà employé au sujet de l'examen d'entrée en sixième en s'exclamant « Nous l'aurons ! » n'avait rien à voir avec le Nous que son père utilisait régulièrement quand il disait : « Nous, on est des ouvriers. » Il lui apparut très clairement que le Nous de son père était un Nous d'exclusion, alors que le « Nous, les hommes » de Monsieur Antoine, ce Nous minuscule qui ressemblait à un nœud, eut sur Gilles un effet inverse qui, au lieu de le couper, le relia tout d'un coup à son père et à tous les hommes, jusqu'aux hommes des cavernes, de manière encore plus efficace que l'expérience de la peau. Sa pensée se déplia comme une crosse de fougère pour s'écraser dans le trou de Lascaux. C'était donc ça, Lascaux ? Des images peintes sur les parois de la grotte pour ne pas oublier, pour raconter ce jour de chasse fabuleux, pour se souvenir de ce face-à-face avec un animal magnifique. Le raconter mille fois différemment. Lascaux, juste un pense-bête ? Cette révélation le réjouit. Elle lui permit aussi de comprendre l'importance de la séance de photographie pour sa mère. Il se décida donc à lui faire plaisir, pour la première fois, parce qu'il venait de comprendre que l'attachement de sa mère à la photographie, malgré sa volonté d'immortaliser les ustensiles de la vie moderne, n'était rien d'autre qu'une volonté préhistorique.

Albert et Gilles avaient disparu. Suzanne, derrière les volets clos de la cuisine, profitait un peu de la fraîcheur. Les mouches commençaient à se fatiguer. Tout était rangé. La télévision était éteinte et ne serait pas rallumée avant ce soir. Elle était prête pour se faire photographier, escarpins blancs, robe bleu ciel, les cheveux coiffés et les yeux peints, son sac à main en cuir blanc posé sur la table. Elle prit le temps de vérifier le contenu du sac, son tube de rouge à lèvres rose nacré, son mouchoir, son poudrier, son porte-monnaie et sa carte d'identité. Elle se tourna vers le poste de télévision où ce soir son fils lui apparaîtrait. Dans la pénombre, elle surprit son image dans le verre légèrement bombé, pas tout à fait son image, son reflet. Elle se regarda. C'était vrai qu'elle avait changé. Ce fut au cours d'un de ces moments de solitude, le soir, qu'elle avait pris la décision de changer son image à cause d'une étrange révélation qu'elle avait eue. Depuis le départ d'Henri, à chaque fois qu'elle s'était retrouvée dans l'église Saint-Pierre à Saint-Sauveur, pour la messe du dimanche, son regard s'était posé sur une sculpture de la Sainte Vierge, le pied posé sur un serpent venimeux, le visage baigné d'une sérénité déconcertante, presque inexplicable. De prières en vœux pieux pour susciter l'intérêt et la bienveillance de la Vierge Marie sur son fils, Suzanne avait fini par s'attacher à cette figure de mère et trouva la Vierge d'une beauté renversante, bien loin de la mère Morandieux ou de celle sculptée sur le monument aux morts. Au début, elle eut l'impression que la mère de Jésus avait été embellie par la mort de son fils prodigieux. Ainsi, de dimanche en dimanche, elle en était arrivée à la conclusion que seule la beauté avait aidé la Vierge à supporter les souffrances qu'elle avait endurées. D'ailleurs, toutes les autres représentations de la Mère du Christ dans l'église de Saint-Sauveur, toutes, sans exception, même au pied de la croix, la montraient d'une beauté presque irréelle. Les héroïnes des romans-photos firent le reste puisqu'elles avaient toutes été conçues sur le modèle de la Vierge-bien-mise. Elle tira même un enseignement particulier de ces créatures de fiction : au-delà de leur image et des histoires d'amour, ces jeunes femmes pauvres avaient, grâce à leur beauté, le pouvoir de transformer leur vie. Ainsi de messes en romans-photos, l'image incompréhensible de la Vierge impeccable, épouse et mère, vêtue des plus beaux atours et des plus beaux tissus, l'avait conduite à l'idée de la perfection féminine, seul antidote qu'elle avait trouvé pour supporter la douleur de savoir son enfant en danger de mort. Même si Albert passait son temps à la rassurer sur ce point, elle connaissait Henri mieux qu'elle-même, elle savait qu'il était incapable de se battre, qu'il ne possédait ni l'ardeur ni la ferveur nécessaire au soldat. Tous les jours, elle se demandait comment cet enfant qu'elle adorait allait pouvoir affronter des adversaires aussi inspirés. Tous les jours, elle se demandait à quoi avaient servi ses sacrifices.

Elle ne se reconnaissait pas dans cette image transparente d'elle-même qu'elle venait de surprendre dans le verre de la télévision éteinte, à la fois loupe et miroir. Elle crut un instant qu'elle n'était plus elle-même, qu'elle ne connaissait pas la femme qu'elle voyait comme, enfant, quand elle se demandait quel était son vrai nom de famille, elle qui était née sans nom. Elle ouvrit à nouveau son sac à main pour vérifier encore si elle n'avait rien oublié, son mouchoir, son tube de rouge à lèvres, sa paire de gants, son petit peigne en ivoire, la dernière lettre d'Henri, son porte-monnaie, comme si ses objets lui rendaient des morceaux d'elle-même, puis elle prit sa carte d'identité, la déplia et parut rassurée en voyant sa photo sur laquelle elle était moins belle que dans le reflet de la télévision, mais où elle se reconnaissait.

Le temps passait et elle préféra quitter la cuisine pour s'extraire de son reflet.

Dans le jardin, Liliane s'était allongée dans une chaise longue, en maillot de bain une pièce rayée jaune et noir, non loin de sa mère, tout en se plaignant des mouches qu'elle chassait comme elle pouvait. Elle aimait s'installer sur cette berge à demi nue, à ne rien faire, et rester allongée ses lunettes de soleil sur le nez. André, pour échapper à cet air de la campagne qui l'étouffait, s'était plongé dans la notice d'installation du poste de télévision.

— Je vais chercher Albert.

Sans tenir compte d'aucune réponse, elle quitta la maison, poussée par un besoin irrépressible d'aller seule vers la cascade. Quelque chose d'obscur encore s'était soulevé en elle, peut-être à cause de son reflet, une force qui dépassait sa volonté de retrouver son mari la poussait sur cette route, l'excitait presque, et commença très vite, au bout de quelques mètres, à la rendre joyeuse.

Albert ne trouvait toujours pas le courage d'en finir. Même le remembrement qu'il condamnait de toutes ses forces ne lui procurait pas la peur qui lui manquait, plus grande que la tristesse de sa propre mort. Ça ne faisait que saccager ses souvenirs millénaires, ça le blessait. Et encore ! pas mortellement. Albert sentait s'éloigner son désir d'en finir. C'était ça, son châtiment, se disait-il. Dans le champ des ancêtres lui vint le dégoût de lui-même.

Surpris, il découvrit la mère Morvandieux tout près de lui. Elle revenait du cimetière, toute sèche, intacte, comme si la chaleur n'avait aucune prise sur elle. Impossible de l'éviter. Elle avançait dans sa direction et se planta bientôt devant lui.

— Comment ça se fait que t'es par ici, toi ?

— Je me promenais. Et vous ?

— Tu sais bien que je vais au cimetière tous les vendredis ! Faut bien s'occuper de nos morts, sinon…

— Sinon quoi ?

— Sinon personne le fera à ma place. Et comme personne viendra s'occuper de ma tombe, je vais faire couler du ciment dessus. Je me suis mise d'accord avec le maçon, j'ai même payé et ça sera fait sitôt qu'y m'auront mise, dans le trou. Comme ça, je suis tranquille.

Cette idée qu'une tombe devait être entretenue quand on n'était pas le dernier à mourir ravit étrangement Albert qui n'y avait jamais pensé.

— Et la Madeleine, comment elle va ?

— Elle a pas trop l'air malheureuse.

— Je suis d'accord avec toi. Ah çà ! Partir en ayant tout oublié, tu vois quelque chose de mieux, toi ? Et comment va ta Suzanne ?

— Vous devez le savoir mieux que moi, vous passez tous les jours ou presque à la maison.

— Oh ça, mon petit Albert, détrompe-toi. Les femmes sont des tombes. Personne sait mieux cacher ses sentiments qu'une femme. Dans les romans de Delly ou même ceux de Max du Veuzit, je les ai tous lus, elles vomissent de sentiments, mais pas dans la vie. Pas dans la vie ! Ceci dit, c'est vrai que la tienne a pas l'air d'aller si mal. Mais, méfie-toi tout de même des lettres qu'elle écrit à ton fils. C'est pas bon, pas bon du tout.

— Parce que vous, vous n'avez pas écrit à votre fils quand il était au front ?

— J'ai pas dit qu'y fallait pas le faire. Je dis qu'y faut pas le faire n'importe comment.

— Parce que vous le faisiez comment, vous ?

— Mal.

Cet aveu qui venait de sauter de sa bouche par erreur comme un postillon ouvrit un minuscule espace où le silence s'engouffra. Henriette Morvandieux apparut d'une sincérité qu'il ne lui connaissait pas et dont il ne la croyait pas capable. On aurait dit que la marche lui avait aéré le cerveau et revigoré le sang jusqu'à faire circuler en elle des sentiments plus propres. Elle s'était assise sur un rocher et semblait s'être tue à tout jamais. Quelque chose s'était arrêtée en elle. Connaissant parfaitement les mécanismes d'horlogerie, Albert savait qu'il suffisait quelquefois de donner un petit coup sur la montre avec l'ongle du pouce pour entendre à nouveau le tic-tac, il posa alors sa main sur l'épaule de la veuve. Elle ressuscita d'un coup, peut-être aussi parce qu'elle n'avait plus senti la main de quelqu'un se poser sur elle depuis longtemps.

— Quand t'étais à la guerre, toi, la Madeleine t'écrivait beaucoup ?

C'était la première fois que quelqu'un avait l'air de se souvenir qu'il avait fait guerre. Cette période de sa vie restait comme un nœud qui étranglait sa mémoire.

— Ma mère sait à peine lire et écrire. Vous le savez bien.

— Ah ! Bienheureux les simples d'esprit, même si ta mère n'a jamais été une idiote, tu comprends ce que je veux dire. Ils font moins d'erreurs que nous.

La conversation aurait pu s'arrêter là. Elle croyait avoir tout dit, et pensait qu'elle allait finir le chemin du retour avec Albert, sans un mot, et dans le plus grand silence.

— Et à votre fils, vous lui écririez quoi aujourd'hui ?

Un peu surprise par la question à laquelle elle ne s'attendait pas, la vieille femme réfléchit un moment, non pour chercher ce qu'elle aurait écrit (ça, elle y avait suffisamment pensé depuis presque cinquante ans), mais pour savoir si elle pouvait le dire ou pas, s'il était capable de l'entendre. Sous l'ombre de son chapeau de paille, elle enfonça ses yeux de fouine dans ceux d'Albert.

— ... Eh ben, pas grand-chose, Albert, figure-toi, pas grand-chose. Je lui parlerais de la maison qui est bien vide sans lui. Je lui parlerais des choses qu'il aimait et qu'il n'avait plus là-bas. Tu comprends, Albert ? Je lui parlerais d'une tarte que j'aurais faite, sa tarte préférée que j'aurais pas pu manger toute seule. S'il était dans un pays chaud, je lui parlerais de l'hiver. S'il avait froid, je lui parlerais du feu dans la cheminée. Je lui parlerais du travail que j'arrive pas à faire toute seule et de son père malade... même s'il est pas malade. Ça, tu peux me croire Albert, s'il fallait mentir je mentirais sans hésiter.

— Pourquoi tous ces mensonges ?

Elle repoussa son chapeau de paille qui resta accroché derrière sa nuque par le cordon qui l'étrangla un peu. Ainsi, elle put mieux regarder Albert qui, d'après elle, venait de poser la question la plus idiote de la terre.

— Mais, pour qu'il ait envie de revenir.

Suzanne, sur ses escarpins blancs, s'enfonça dans le bois des Queyres. Elle descendit un long chemin de terre et longea la Gorne qui semblait reprendre un peu de vigueur à cet endroit. Très vite, elle arriva vers la cascade. À travers les arbres, la lumière descendait comme dans un puits pour n'éclairer que le bassin où se jetait la cascade. Quelqu'un se baignait. Ça ne pouvait pas être Albert. Peut-être que le nageur avait vu son mari. Elle décida de s'approcher en prenant soin de poser ses pieds sur les endroits les plus secs du chemin, de ne pas enfoncer ses talons dans la terre humide. Cette petite acrobatie l'obligea à davantage d'attention. Elle sentit son cœur s'emballer, sans raison, avant même d'avoir vu le nageur. C'était Paul Marsan. Elle fut heureuse. Elle put l'observer sans être vue. La lumière tombait en faisceaux à travers l'épaisseur des feuillages qui formaient une voûte au-dessus du bassin. Paul semblait nu. Elle s'étonna de la largeur de ses épaules, qu'elle avait remarquée, tout en se disant que les épaulettes et la taille cintrée de sa veste de postier jouaient en sa faveur. C'était faux. Paul surgissait de l'eau ou s'y enfonçait pour disparaître, lançant des cris sauvages et secs à chaque fois qu'il réapparaissait, des cris dont l'écho résonnait au creux de son oreille et de son cou. Elle aurait pu repartir, mais elle ne put refréner son envie de se montrer.

— Suzanne ?… Ça alors ! Vous venez vous baigner ici aussi ?

— Non… je… (elle voulut dire « je cherche mon mari » mais se reprit)… je me promenais. J'aime bien cet endroit. Et puis il fait tellement chaud.

— Moi aussi, j'aime bien cet endroit. Encore un point commun… C'est curieux qu'on ne s'y soit jamais rencontrés.

— Il y a très longtemps que j'y suis pas venue.

— J'y viens presque tous les après-midi, après ma tournée.

Elle le savait, il le lui avait dit plusieurs fois depuis le début de l'été. Suzanne comprit alors le sens exact de ce bonheur qu'elle avait ressenti en marchant jusqu'ici.

— C'est le seul endroit où l'on peut se rafraîchir. Je ne supporte pas la chaleur. L'eau est fraîche, vous pouvez pas imaginer.

Sa voix résonnait sous la voûte des arbres. Sa tête sortie de l'eau donnait l'impression d'être posée sur un miroir. C'était étrange, cette tête sans corps qui lui faisait la conversation.

— Vous avez l'air inquiète.

— Je le suis.

— C'est à cause d'Henri ?

Ce n'était pas à cause d'Henri et encore moins d'Albert qui semblait ne jamais être venu ici. Elle venait seulement de comprendre que, si elle avait tenu à venir seule, c'était uniquement dans l'espoir secret de retrouver Paul. Elle n'eut pas peur de mentir.

— Oui, toujours… c'est normal.

— C'est vrai. Mais, si j'ai bien compris, ce soir vous allez le voir dans le poste. Et je sais aussi qu'il y a une nouvelle lettre qui est arrivée aujourd'hui et que je vous distribuerai demain. Vous voyez qu'il ne faut pas s'inquiéter. Si j'avais su que je vous verrais cet après-midi, je l'aurais prise avec moi.

— Vous avez le droit de faire ça ?

— Non, mais pour vous…

Et Paul sortit de l'eau d'un coup, sans achever sa phrase pour mieux laisser planer le sous-entendu. Il portait un maillot de bain et elle se surprit à le regretter. Malgré l'ombre, le corps de Suzanne se mit tout entier à suinter sous la légèreté de sa robe. Pour la première fois, elle acceptait l'idée de désirer cet homme. Il était presque nu et commençait à se sécher avec une serviette éponge. Elle remarqua ses vêtements parfaitement bien pliés sur un rocher tandis qu'il était en train de retirer son maillot de bain tout en gardant la serviette autour de sa taille. Le corps de Paul était encore plus parfait qu'elle ne l'avait imaginé. Plus encore que le corps de cet homme, l'odeur des mousses, de la vase, les scintillements de la lumière à travers les branches, le frissonnement des arbres faisaient écho à son désir.

Même si elle avait cherché à le dissimuler, Paul en aurait été averti par tous ces signes extérieurs, comme si son seul désir était capable de se répandre et de modifier le paysage autour d'eux. Paul ne pouvait décrocher son regard des escarpins de Suzanne et des traces de boue sur les talons et sur les bords du cuir blanc. Si une femme si attentive à sa tenue, si belle, si méticuleuse, avait accepté de salir ses chaussures, c'était que quelque chose de plus fort l'avait poussée jusqu'ici. Suzanne, au lieu d'être embarrassée par la situation, se sentit à sa place bien plus que dans sa cuisine à attendre son mari ou même dans sa chambre à souffrir pour son fils en Algérie. La conversation était terminée depuis un petit moment, et Paul n'eut aucune envie de faire le moindre effort pour la relancer. Suzanne se taisait. Il espéra ardemment que le silence soulèverait une vérité si puissante sur leur désir que Suzanne ne pourrait pas lui résister. Tous les bruits finirent par s'atténuer, le chant des oiseaux, le frissonnement des feuilles dans les arbres et même la chute de la cascade dans le bassin. De là où Paul se tenait, il pouvait presque voir le cœur de Suzanne battre sous le tissu bleu ciel. L'impression d'éternité qu'ils ressentirent à ce moment-là les extirpa du monde qu'ils connaissaient et qui les empêchait de s'aimer. Suzanne se sentit protégée. Il y eut d'abord une supplication dans leurs regards, presque une souffrance, de la honte aussi de sentir si violemment le désir. Paul s'avança vers elle, sa serviette nouée autour de la taille. C'était presque amusant, la manière qu'il eut de poser sa main sur son sexe pour dissimuler son érection comme s'il voulait que l'expression de son amour soit plus visible que son désir. Suzanne chancela sur ses jambes qui ne la tenaient plus. Il la serra contre lui pour la retenir et atteindre ses lèvres. Elle sentit son sexe dur contre son ventre et leurs cœurs battre l'un contre l'autre. Elle s'abandonna au premier baiser de Paul qui avait un goût de rivière. Puis il la déshabilla sans quitter sa bouche, avec une habileté qui laissait croire qu'il connaissait la robe parfaitement, qu'il savait où se trouvaient les boutons et même le petit crochet à l'arrière du col ; puis il dégrafa son soutien-gorge qu'il prit soin de déposer sur la mousse, fit glisser sa petite culotte du même bleu que la robe. Une fois mise à nue, Suzanne sortit de ses chaussures blanches et souillées. Elle ne se sentit pas aussi vulnérable qu'elle aurait pu le craindre, peut-être parce que Paul lui offrait aussi sa nudité et son sexe raide et gonflé qu'il ne cherchait plus à dissimuler, peut-être aussi parce que leur nudité lui parut en parfait accord avec le paysage, peut-être plus simplement parce qu'elle était une femme et qu'il était un homme. Elle le suivit dans le bassin sans lâcher sa main ; l'eau qu'elle croyait glacée lui parut à la température idéale. Ils étaient soudain si isolés du reste du monde qu'ils se sentaient capables de le réinventer ensemble ici et maintenant. Les baisers de Paul étaient d'une telle virtuosité et ses mains plus expertes qu'elle n'avait pu l'imaginer, qu'elle crut s'évanouir entre ses bras au moment où elle le sentit glisser en elle comme si elle avait attendu toutes ces années de femme pour oublier l'épouse et la mère qu'elle avait été jusqu'à cet instant, pour ne plus être qu'une femme, un désir, une peau, s'oublier au point de ne sentir que son corps de plaisir, l'endormi qui se réveillait autour du sexe puissant de Paul. Tout, et dedans et dehors, était devenu liquide. Et même si elle ne comprenait pas ce qui l'étourdissait autant, elle savait qu'elle ne voulait pas que ça s'arrête, qu'elle en voulait plus encore, plus longtemps, plus violemment. Elle voulait être entièrement possédée par cet homme. Maîtrisant parfaitement le langage érotique de l'adultère, elle qui n'avait jamais trompé son mari, elle supplia d'un regard son partenaire pour obtenir de lui qu'il consente à fouiller en elle le plus longtemps et le plus profondément possible dans l'espoir qu'il parvienne à rouvrir ce chemin de la jouissance qu'elle n'avait éprouvé qu'une seule fois, une seule, et dont le souvenir l'éblouissait encore, quand elle avait mis son fils aîné au monde. Pour retenir le plus longtemps possible sa propre jouissance, Paul resta planté en elle, puis se positionna différemment dans ce jeu du plaisir, prit le recul nécessaire, devint objet, ravi de cette position, presque observateur de la beauté tyrannique de cette femme qu'il avait tant désirée et qui maintenant suppliait le plaisir sans aucune pudeur. L'eau, l'immersion des corps, le sentiment d'appartenir au premier jour du monde, rendait à Suzanne sa place dans ce monde. Elle pouvait agir et être maîtresse de la situation, quelque chose de totémique, elle utilisa son vagin avec une dextérité et une volonté qu'elle ne se connaissait pas et qui lui permit de clouer Paul à la rive, de profiter de son sexe toute seule. Accrochée à lui, c'était elle qui décidait des rythmes et des cadences. Elle voulait tout et ne voulait rien lui devoir de cette jouissance qu'elle appelait de tous ses vœux et qu'elle s'apprêtait à soulever en elle. Paul s'émerveillait de la regarder s'enfoncer dans son plaisir jusqu'à ce qu'il vît son visage s'éclairer d'une lumière dont il ne sut pas si elle venait de l'extérieur ou de l'intérieur d'elle, une lumière qui l'inonda tout entière et dont elle débordait. Tout disparut, les arbres, la cascade, pour les projeter ensemble dans un désert éblouissant, saturé de lumière. Alors seulement, dans cette incandescence, il accéda à sa propre jouissance d'homme tout à la fois dissociée et nouée à celle de Suzanne.

Le soir

Albert réapparut. Liliane, surprise de le voir seul, l'avertit que Suzanne était à sa recherche. Il regarda l'heure et pensa aller à sa rencontre. À ce moment-là, il aperçut Paul Marsan au volant de sa Dauphine, en chemisette à manches courtes et lunettes de soleil sur les yeux. L'homme n'eut pas un regard vers lui, mais Albert remarqua qu'il avait accéléré sans raison. Avant de partir retrouver Suzanne, il prit le temps d'aller voir le poste de télévision. Il ne trouva rien d'extraordinaire à cette boîte en acajou. Il regarda cet écran éteint, sans aucune émotion et sans aucune curiosité, incapable d'imaginer encore ce que cette machine allait produire dans les années à venir. Aucun intérêt. Comme il entendit la voix de Suzanne, il sortit.

— Je n'ai pas résisté à me baigner tellement il faisait chaud.

— Sans maillot de bain ? s'étonna Liliane.

— Oui, sans maillot. Tu parles ! J'étais toute seule.

Paul avait dû la déposer juste avant d'entrer dans Assys. C'est ce qu'Albert pensa. Si elle était revenue à pied, ses cheveux auraient eu le temps de sécher avec cette chaleur, surtout que la route qui conduit à la cascade, à cette heure-ci, est en plein soleil. Elle était éblouissante, et Albert fut le seul à voir que la métamorphose de Suzanne était accomplie.

C'était la première fois qu'il surprenait sa femme en train de mentir, pas seulement parce qu'elle affirmait qu'elle était seule, mais parce qu'elle n'eut aucun mot pour lui, pas même « Mais où étais-tu ? » ou « La séance chez le photographe est foutue à cause de toi ». Dieu sait que cette séance chez le photographe était importante pour elle. Étrangement, Suzanne se dirigea vers Gilles qui avait, sagement, repris sa lecture. Elle le serra contre son ventre. Elle avait besoin de sentir un corps contre elle, un corps inoffensif pour prolonger ce moment d'extrême tendresse qui lui avait manqué après sa sauvage baignade. Albert ne l'avait jamais vu prendre Gilles de cette façon, et l'enfant, lui-même, semblait presque embarrassé. Il resta les bras ballants, le visage écrasé sur la poitrine de sa mère, sans lâcher son livre qu'il tenait dans une main, un doigt à l'intérieur des pages pour marquer l'endroit où il s'était arrêté dans sa lecture.

— Tu sais que ta mère nage très bien. Quand je l'ai connue, elle plongeait du pont de la gare dans l'Allier. Même les garçons n'osaient pas le faire. Pas vrai Suzanne ?

— J'oserais plus le faire maintenant.

— Pourquoi ?

Suzanne n'était pas préparée à cette question. Elle hésita, trébucha sur les mots avant de remettre sa pensée d'aplomb.

— … Parce qu'à trente-neuf ans on est capable de mesurer le danger. J'en étais pas capable à dix-sept, voilà.

— Et ce que tu faisais à dix-sept ans, tu ne le referais plus aujourd'hui, c'est ça ?

L'allusion à leur mariage ne fit aucun doute pour Suzanne, ni pour Liliane qui n'osa pas intervenir.

— Certaines choses, oui.

Dans ces choses, Albert savait qu'elle pensait à Gilles qui était venu au pire moment de leur histoire, quand leur couple s'acheminait lentement vers un divorce sans qu'ils en aient jamais vraiment parlé ensemble. D'ailleurs, elle relâcha son étreinte et libéra Gilles, comme si elle le rendait à son père. Elle ne regrettait pas vraiment son mariage ; elle l'avait voulu et il lui avait permis d'avoir Henri. Dès son retour de la guerre, Albert avait compris qu'elle aurait préféré qu'il ne rentre jamais, ainsi elle aurait pu fuir avec sa merveille, changer de vie, s'installer dans une ville, redevenir une inconnue, ce qu'elle avait toujours été puisqu'elle avait été abandonnée à la naissance. La vie dans ce village l'avait rendue trop visible et sa position d'épouse Chassaing plus menaçante que rassurante. Le fait de porter ce nom qui n'était pas le sien fut plus difficile à supporter que de ne pas en avoir.

Mais Suzanne ne pouvait pas soupçonner qu'Albert se doutait de quelque chose. Presque rassurée, elle disparut dans la cuisine pour préparer le dîner.

Liliane profita de ce moment pour s'asseoir sur le banc à côté de son frère. Une mouche de fin d'après-midi, plus molle, vint se poser sur la main d'Albert qui l'écrasa d'un coup.

— J'ai passé tout l'après-midi avec maman. Je ne sais pas si elle m'a reconnue, et je n'arrêtais pas de penser, en la regardant, à tout ce qu'elle a subi. Je me demande comment elle est encore en vie.

— Elle a travaillé, mais le travail ça ne tue pas forcément, même le travail qu'on n'aime pas faire.

— Oui, mais il y a pas que le travail. Il y a aussi tout le reste. On se demande comment elles étaient fabriquées, les femmes, de ce temps-là.

— C'est quoi tout le reste ?

— Des secrets de femmes qui concernent pas les hommes.

Ce soir, il en avait assez de ces petits secrets et de ces connivences de femmes, de cette complicité qui les rendait un peu idiotes, et qui n'avait au fond pas d'autre objectif que d'infantiliser les hommes. Aussi insista-t-il, « c'est quoi tout le reste ? »

— Les fausses couches et les avortements. Qu'est-ce que tu veux que ce soit ?

— Si c'était vrai, je m'en serais rendu compte.

— À part les deux fausses couches qu'elle a faites en plein champ, le reste, elle le faisait justement quand tu étais à l'école et, aussitôt fait, elle repartait travailler dans ses champs. Tu ne risquais pas de t'en rendre compte. Non, non, les femmes de son temps en ont enduré. C'est pas croyable.

— Et elle faisait ça toute seule ?

— Bien sûr que non. Mais elle n'a jamais voulu dire son nom. Moi, j'ai toujours pensé que la faiseuse d'anges c'était la mère Morvandieux. Ça, on me l'enlèvera pas de l'idée !

Ce mot de faiseuse d'anges avait le pouvoir de relativiser la procédure, les femmes ne tuaient pas des fœtus, encore moins des enfants : elles fabriquaient des anges. Au fond, elles étaient arrivées à transformer en merveille une chose difficile et quelquefois inacceptable pour elles-mêmes. La religion ne lui parut pas avoir que du mauvais, il fallait juste savoir s'en servir. Albert ne trouva à dire que « Ça alors » et mesura dans le même temps l'immensité de sa bêtise d'homme qui méritait bien quelquefois les sarcasmes des femmes.

— J'aurais jamais dû venir au monde. On lui a seulement déconseillé d'avorter cette fois-là, c'était trop dangereux à l'âge qu'elle avait, et surtout après quatre avortements et deux fausses couches. Déjà qu'à cette époque notre père ne se portait pas très bien, elle n'a pas dû vouloir prendre le risque de faire de son fils un orphelin. Parce que toi, tu étais son Dieu ! N'est-ce pas mon petit mouton tout noiraud… C'est bien comme ça qu'elle t'appelait quand t'étais petit ?

— Agneau ! Pas mouton.

Comme Suzanne venait d'appeler Liliane en cuisine, elle abandonna son frère après lui avoir déposé un baiser rapide sur la joue. La paix était définitivement scellée entre eux.

Albert regarda sa mère perdue dans ses souvenirs. Un rossignol se mit à chanter dans le cerisier, Madeleine Chassaing se redressa, releva la tête, fit le signe de croix et murmura quelque chose à l'oiseau du soir venu du ciel, une prière peut-être. Si, pendant la toilette du matin, elle ne lui avait pas confié qu'elle n'était pas bonne pour le mariage, mais bonne pour faire des enfants, il n'aurait jamais réussi, ce soir, à mesurer son sacrifice et sa souffrance de femme. Il réalisait que « ses anges » l'avaient occupée toute sa vie autant que sa fille et son fils, qu'elle les avait secrètement dorlotés dans son souvenir, emmaillotés, aimés, corrigés, choyés, engueulés peut-être. Aujourd'hui, si près de sa mort, elle n'avait sûrement jamais été aussi près d'eux. L'Empurgar et toute la mythologie enfantine du ciel chrétien où se réfugient les morts réveillèrent son désir d'en finir auquel il avait cru renoncer en fin d'après midi dans le champ de ses ancêtres. Plus que jamais Albert eut envie d'être « là-haut » quand sa mère viendrait à son tour, juste après la toilette mortuaire, pour l'accueillir et la porter nue dans ses bras, encore mieux qu'il ne l'avait fait ce matin.

Madeleine fut installée dos à la télévision éteinte. Elle avait encore un appétit féroce malgré sa maigreur, comme si son estomac avait gardé la mémoire de la grande travailleuse qu'elle avait été. Gilles, qui faisait face à sa grand-mère, était rempli d'*Eugénie Grandet* et n'attendait qu'une seule chose, que son père lui pose une question sur son après-midi. Il avait prévu de lui réciter les phrases de Balzac qu'il avait apprises par cœur. Mais son père ne lui posa aucune question.

On mangea les restes de midi que Suzanne avait accommodés, le saint-nectaire cette fois-ci eut un grand succès. Le repas expédié, Madeleine Chassaing retrouva son fauteuil sous le cerisier avant que les invités n'arrivent. Il y avait quelque chose d'historique dans ce remue-ménage inhabituel. Gilles répétait quand même dans sa tête les phrases de Balzac. Quand André voulut allumer le poste de télévision, Suzanne l'en empêcha. La télévision serait allumée à l'heure dite de l'émission, l'heure bénie où son fils apparaîtrait. « *Trente-six chandelles* », *la philatélie, le journal télévisé, Jean Nohain, Jacqueline Caurat et Léon Zitrone* n'avaient encore aucun intérêt pour elle. Albert rejoignit les femmes à l'intérieur. Il resta en tricot de peau, assis à la table, face à la télévision. Le brocanteur entra le premier, et Liliane se jeta dans ses bras tout en rappelant à l'assistance que Job était son danseur préféré. Tout le monde savait qu'elle aurait pu l'épouser, mais sa condition de chiffonnier l'avait rebutée. Elle ne s'était pas doutée qu'il deviendrait antiquaire et porterait un rubis au petit doigt, un jour. André se contenta de rester courtois.

Suzanne avait réquisitionné toutes les chaises de la maison, même celles de la salle à manger qu'elle détestait. Albert ne bougea pas. Il avait décidé de ne plus rien faire. À le regarder accoudé à la table, les bras nus à demi bronzés, on aurait pu penser qu'il se désintéressait totalement de l'événement qui allait se produire ici, dans la cuisine. Gilles, à cause des descriptions de Balzac, les décors autant que les personnages, commençait à regarder son monde différemment. Son père avait ce soir-là la stature d'une figure antique, identique à celle qu'il avait vue épinglée sur un mur chez Monsieur Antoine ; sa robustesse, la frisure de ses cheveux, ses mains de géant, la carrure de ses épaules et son regard sombre lui donnaient une prestance qu'il devait justement à la simplicité des travaux qu'il accomplissait chaque jour de sa vie. Gilles eut l'impression de voir son père pour la première fois, quelque chose irradiait de lui comme jamais. Et puis cela lui parut évident, son père avait le silence des statues et ce silence donnait encore plus de densité à sa présence. Son père était beau.

Suzanne installa une rangée de chaises devant lui.

— Si c'est pour me mettre au deuxième rang, c'est pas la peine.

— ... Mais je croyais que ça t'intéressait pas, la télévision ?

— Je n'ai pas dit que ça m'intéressait. Je dis seulement que si je dois regarder ça, autant que je sois bien placé.

Suzanne dégagea un espace suffisamment ouvert pour que rien, ni personne, n'obstrue le passage entre le regard d'Albert et l'écran de télévision. Monsieur Job vérifia que la vieille Madame Chassaing dont il redoutait l'hostilité viscérale resterait dehors sous le cerisier. Comme André s'était assis à la gauche d'Albert, le brocanteur s'installa à sa droite, empêchant Gilles de s'asseoir près de son père.

— Tu vois, Albert, jamais j'aurais cru que tu serais le premier à avoir cette machine chez toi.

Albert se contenta d'acquiescer de manière complice dans l'espoir qu'on reconnût sa position de victime ou d'otage dans ce grand chamboulement ; puis le brocanteur, qui connaissait les sujets de conversations qui lui permettraient de capter l'attention d'Albert, embraya sur les premiers mécanismes automatiques des tournebroches au XVIIIe siècle fabriqués par des horlogers. Il venait d'en acquérir un, à un très bon prix, autant dire une misère, mais dont le mécanisme était cassé. Albert l'écouta avec beaucoup d'intérêt ; s'il manquait une pièce, il suffirait d'en fabriquer une et le tour serait joué. Ce n'était pas comme ces télévisions qui, une fois cassées, étaient irréparables. Ça, c'était sûr ! Suzanne reprit sa tirade préférée et parfaitement rôdée pour expliquer que toutes les familles américaines avaient la télévision depuis bien longtemps, on le voyait bien dans tous les films d'Hollywood, trouvant ainsi une nouvelle occasion de rappeler à quel point les Français et la France étaient en retard sur tout. Lorsque Suzanne retira son tablier, tout le monde put constater qu'elle s'était habillée pour la circonstance, sachant sûrement qu'elle devrait, ce soir-là, être à la hauteur de l'événement. Liliane apporta à la table une assiette remplie de gâteaux secs et de biscuits à la cuillère, puis disposa des verres pour le ratafia et la clairette de Die qu'elle avait prévus pour l'occasion. Ratafia pour les hommes et clairette pour les femmes. Suzanne sortit aussi ses beaux verres en cristal d'Arques qu'elle avait eus en cadeau de mariage et avec lesquels elle prenait autant de précautions que s'il s'était agi de baccarat.

La cuisine se remplit très vite. Personne ne manquait à l'appel. Toutes les femmes s'étaient habillées et coiffées comme si elles étaient allées au théâtre municipal de Clermont. Quand Henriette Morvandieux fit son entrée, elle semblait avoir perdu tout son système de défense et se montra charmante toute la soirée. En revanche, on manqua très vite de chaises et la plupart acceptèrent de s'entasser debout derrière Albert, les hommes surtout, laissant aux femmes les places assises sur le devant tout près de Suzanne. Albert, qui ne s'était levé pour personne, le fit quand Monsieur Antoine fit son entrée. Suzanne fut seulement aimable. Gilles espéra que ce dernier arrivant serait le déclencheur d'une conversation sur sa première dictée et qu'il pourrait profiter de la situation pour dire une ou deux phrases de Balzac à son père. Albert se contenta de proposer une place à Monsieur Antoine.

C'était donc là, dans la cuisine, que l'apparition devait avoir lieu. Suzanne demanda le silence et tourna le bouton doré du poste de télévision. C'était la première fois que quelqu'un à Assys tournait ce bouton doré, presque rien, un geste apparemment anodin, qui ressemblait à celui que l'on fait pour allumer une radio. Personne dans cette seconde historique, n'imaginait les conséquences que cela pourrait avoir par la suite et le chambardement que cela allait représenter pour toute la société française. Catherine Langeais apparut, Joconde blonde en chair et en os, dont toutes les femmes admirèrent la coiffure et les hommes le sourire. Elle fit son annonce d'une voix douce qui ne laissait en rien présager de la suite. Juste après le sourire de la speakerine, le générique de « *Cinq colonnes à la Une* » tonna au cœur de la maison : la violence de la musique donnait le sentiment que l'Histoire était en marche, le compte à rebours était enclenché sur fond de radar et la musique de plus en plus pathétique martelait l'annonce d'une catastrophe à grands coups de grosses caisses, comme pour dire : « Ne te lève pas de ta chaise, où tu iras ce sera inutile, il est trop tard, c'est ici et c'est maintenant. » Tout le monde était déjà pétrifié et le miracle télévisuel fit place à une forme de torpeur. Il n'y eut plus aucun signe, plus aucune manifestation, rien que des regards d'hypnotisés, même le brocanteur semblait figé derrières les gros verres de ses lunettes. Suzanne éteignit la lumière, et, au lieu de provoquer l'obscurité comme au cinéma, l'écran lumineux projeta sur tous les visages une lumière bleutée, pâle et vacillante. Ils eurent tous plus ou moins l'air malade ou animés d'une flamme intérieure moribonde. La tête burinée et les bras à demi bronzés d'Albert semblaient effacés et il fut bien le seul que cette luminosité particulière, presque immatérielle, transfigura au point de lui donner réellement l'allure d'une statue antique à la tête et aux bras coupés. Seule Madeleine Chassaing, à cause de la douceur du soir, était restée assise dans le jardin, sous le cerisier, échappant à toute cette étrangeté lumineuse.

Les autres étaient entièrement capturés par les images du reportage sur l'Algérie, chacun à la recherche d'Henri parmi les soldats filmés. Là ? C'est pas lui ? Non c'est pas lui ! Et là ? Non plus... Mais il est où alors ? Chut ! Attendez un peu, murmura Suzanne qui avait déjà son mouchoir à la main. Elle avait tout prévu, les larmes au même titre que les gâteaux secs. Rien de cette soirée ne devait lui échapper, ni ce qui se passait autour d'elle, ni dans le poste de télévision. L'image du désert sur lequel courait la caméra ressemblait à cette fin d'après-midi à la cascade quand tout avait disparu dans la jouissance, un paysage qui semblait avoir été soufflé par le vent ou par la volonté de Dieu. Le sable soulevé en rafales de vent évoquait davantage la poussière que le sable lui-même, la même poussière que le curé de Saint-Sauveur invoquait une fois par an pendant l'office de la nuit des cendres : tu es poussière et tu retourneras à la poussière. Suzanne se raidissait. Si elle maîtrisait parfaitement les romans-photos et les images de la Vierge, elle était totalement démunie devant ces apparitions sauvages. Son inquiétude remplit toute la pièce au point de se communiquer à tous. Quelqu'un dit : « Bon Dieu, doit pas faire bon vivre là-bas. » Tous prenaient l'ampleur du désastre, la musique et la voix du commentateur ajoutaient à cette impression. Enfin, une brochette de jeunes soldats d'une vingtaine d'années apparut en gros plans. Ils défilèrent les uns après les autres. Quelqu'un, se voulant rassurant, fit une réflexion sur leurs mines relativement enjouées. Suzanne exigea le silence avec une autorité qu'on ne lui connaissait pas. Le silence revint pour ne faire résonner que le commentaire. Puis les jeunes appelés, chacun à leur tour, exprimèrent en quelques mots leurs sentiments sur la situation. « *Ça va, oui ça va... Oui, les gens sont gentils ici* », un deuxième : « *Non, je n'ai pas peur* », un troisième : « *Eh bien, puisqu'il faut être là ! Qu'est-ce que vous voulez qu'on y fasse* », un autre encore : « *Je connaissais pas l'Algérie mais c'est vraiment un beau pays.* »

Jusqu'à ce qu'Henri apparaisse à l'écran. Tout le monde sentit le cœur de Suzanne tressaillir dans un soupir de satisfaction. Serrant son mouchoir dans ses mains jointes, elle semblait en prière, incapable de retenir ses premières larmes.

— Il est beau, non ? lança-t-elle comme un cri de joie sans attendre la moindre confirmation de personne.

— *Et vous comment vous appelez-vous ?* dit la voix du Journaliste invisible.

— *Henri, Monsieur.*

— *Et vous êtes là depuis quand ?*

— *Oh... presque six mois, ça fera six mois le 20.*

— *Ce n'est pas trop dur ?*

— *C'est pas facile, mais j'ai pas à me plaindre. Les copains sont sympas. Ça pourrait être pire.*

— *Qu'est-ce qui pourrait être pire ?*

Henri, en noir et blanc, eut une hésitation, l'air presque hébété, ne comprenant pas la question ou craignant de dire des choses que ses supérieurs pourraient lui reprocher. Sa voix tremblotait légèrement. Le crâne rasé et la panique le défiguraient.

— *Eh bien, ici... j'ai retrouvé des camarades de Clermont-Ferrand. Enfin, des copains. Alors c'est mieux que si je connaissais personne.*

— *Oui on peut le dire,* reprit le commentateur d'une voix énergique, trop énergique pour être sincère, tandis que la caméra s'éloignait du visage d'Henri, *tous ces jeunes gens font preuve d'une grande camaraderie et Henri a bien raison de s'appuyer sur l'amitié dans une situation si difficile parce qu'il y a des jours et des nuits quelquefois où c'est la peur au ventre qu'ils doivent aller au combat, surtout depuis qu'on a retrouvé il y a quinze jours onze d'entre eux, assassinés. Ces jeunes soldats étaient en train d'effectuer une patrouille dans la montagne des Aurès. On les a retrouvés morts, émasculés, les parties génitales enfoncées dans leurs bouches. Face à une telle barbarie, comment ne pas avoir peur ? Parce que cela peut arriver de partout et à n'importe quel moment,* conclut le commentateur, *comme ici récemment, regardez !*

Des camions soulevés par des grenades, carlingues éclatées, soldats brûlés vifs, mitraillés ; puis un autre cherchant à s'enfuir du camion se faisant brûler la cervelle en ouvrant la portière, avant même d'avoir posé le pied à terre. Replis dans des tranchées de fortune, explosions, corps soufflés par les déflagrations.

Albert comprit que c'était une guerre. Suzanne et tous les autres voyaient le malheur à travers cette lucarne qui manifestement avait le pouvoir de rapprocher d'eux ce qui était éloigné pour leur permettre de voir ce qui était invisible. Ce fut la première image de guerre qui entra dans une maison qui n'était pas en guerre.

— Mais putain, on ne sort pas d'un camion quand ça canarde de tous les côtés !

Tout le monde se retourna. C'était Albert qui venait de dire ça, c'était le soldat qui parlait et que

Gilles entendait pour la première fois. Gilles n'avait jamais connu ni vu la guerre, et aucune phrase d'*Eugénie Grandet* ne pouvait venir à son secours. Jusque-là, il en avait entendu parler, et l'avait imaginée comme des combats de chevaliers. Cela n'avait pas plus de réalité que Dieu, l'Enfer ou le Paradis. Ces images de combats entrèrent en lui avec la puissance du réel surtout après avoir vu et entendu son frère Henri s'exprimer avec difficulté. Avec eux, Henri parlait beaucoup et très bien, il ne cherchait jamais ses mots et éprouvait même un plaisir un peu sadique à employer des mots savants que son père ne comprenait pas. La guerre semblait avoir eu ce pouvoir d'anesthésier la pensée elle-même, d'anéantir une personnalité et de le pétrifier dans la bêtise. Gilles regarda sa mère qui enfouissait, avec la plus grande difficulté, sa terreur dans son mouchoir. Tout le monde continua à regarder les images des combats et à écouter les commentaires péremptoires du journaliste. C'était l'effroi dans la cuisine. La douleur de Suzanne, à ce moment-là, doublée du plaisir coupable qu'elle avait éprouvé dans l'après-midi, créa autour d'elle une sorte de forteresse. Albert ne quitta plus sa femme des yeux parce qu'il était le seul à comprendre que la douleur, comme le plaisir de cet après-midi qu'elle ressentait encore, finissait de l'exclure du reste du monde. La maison d'Albert Chassaing n'était plus qu'une lucarne magique de laquelle tout le monde pouvait assister au déluge algérien. Deux mouches vinrent se poser sur le verre du poste de télévision et arpenter les images avec la même urgence qu'elles mettraient à rechercher une plaie, un orifice dans le corps d'un cadavre pour y pondre leurs œufs.

— Éteins-moi ça.

La réalité transmise par les images non plus dans une salle obscure de cinéma, mais ici, chez lui, dans sa cuisine, avait ramené Albert à son impuissance d'homme et de père. Que pouvait-il faire à part éteindre ce poste ? Il ne vit pas d'autre moyen pour mettre un terme à ce désastre avant que Liliane, en rallumant la lumière, fasse disparaître de leurs visages le spectre gris et bleuté de la guerre.

Ce fut naturel, toutes les femmes se regroupèrent autour de Suzanne. Henriette Morvandieux, la première, prit la mesure de la folie qui venait de se produire devant eux. Si on lui avait montré les tranchées de Verdun comme Suzanne venait de voir le désert d'Algérie, elle serait morte sur place, son cœur n'aurait pas résisté.

— Si j'étais toi, Albert, j'irais foutre cette machine aux creux[1] tout de suite !

Personne n'entendit la mère Morvandieux. C'était à celle qui allait dire la parole la plus rassurante « Mais c'est pas lui qu'on voyait au combat », « Tu vois bien que ton petit est vivant, lui », « Allez Suzanne, te laisse pas prendre par les mauvaises pensées », « Tu verras, la semaine prochaine, tu recevras une lettre ».

1. Décharge publique municipale.

— Non, demain, je recevrai une lettre, demain. Paul m'a dit qu'il y avait une lettre. Il me l'a dit !

Suzanne eut peur de croiser le regard de son mari après cet aveu. Ça ne faisait aucun doute qu'elle avait revu Paul puisqu'il n'avait jamais parlé, ce matin, d'une autre lettre d'Henri devant Albert. La lumière jaune du plafonnier avait fait disparaître la statue antique. Albert était bien trop secoué par ces images de guerre pour s'intéresser à d'autres histoires. Autour de lui, les hommes faisaient front. « Ils sont armés, c'est Nasser qui les arme », « Oui, autant dire que c'est Staline ». André, qui n'avait pratiquement pas ouvert la bouche de la journée, avait du mal à accepter ce qu'il entendait.

— Reconnais-le, André, les cocos ont fait alliance avec Adolphe et maintenant avec les crouilles contre nous !

— Non, les gars, les communistes ont jamais fait alliance avec les nazis.

— Elle est bien bonne celle-là ! Et l'Alliance entre l'Allemagne et l'URSS ? T'en fais quoi, toi ?

Monsieur Antoine intervint parce qu'André, malgré sa bonne foi, s'empêtrait dans des explications douteuses. Toujours grâce à la place que lui conférait sa position d'ancien maître d'école même si, à part Gilles, personne ici ne fut jamais son élève, il réussit très facilement à s'imposer.

— Désolé de vous contredire messieurs, mais il n'y a jamais eu d'Alliance. Staline a fait un pacte de non-belligérance avec Hitler. Ce n'est pas la même chose. Et ce pacte est survenu après les accords de paix signés avec Daladier. Il fallait bien que les Russes se protègent aussi. Ils savaient bien que les nazis, comme plus tard la collaboration française, luttaient contre le bolchévisme autant que contre les juifs, quand ils ne faisaient pas l'amalgame. Non, non, un pacte de non-belligérance cela veut juste dire « si vous ne m'attaquez pas, je ne vous attaquerai pas » ça ne veut pas dire « je deviens votre allié et je pars à vos côtés détruire l'Europe tout entière ». Et puis, je vous rappelle quand même que c'est la bataille de Stalingrad qui a mis Hitler à genoux. Les Américains sont arrivés après.

Ça y était ! L'histoire s'était invitée à la table, exactement comme Monsieur Antoine l'avait dit. Plus personne n'osa manifester la moindre opposition, comme si son autorité d'ancien maître d'école bien plus que sa déclaration suffisait à obtenir le silence. Gilles était le seul à savoir que c'étaient aussi Molière, Balzac, la grand-mère de Monsieur Antoine, tous les ancêtres disparus qui avaient parlé avec lui d'une seule voix et qui donnait tant de poids à ses paroles.

— Tu vois, Gilles, il faudra écouter Monsieur Antoine. Lui, il sait.

Cette phrase tomba comme un adieu à cause de l'emploi du futur, un futur dont Albert apparemment s'excluait. Albert ne pensa plus qu'à son fils aîné auquel il n'avait jamais pensé dans sa vie. Le soldat d'Algérie était redevenu son enfant. S'il était un des puissants de ce monde, il savait bien ce qu'il ferait, il irait le chercher et le cacherait jusqu'à la fin de cette guerre qui commençait à prendre un sens, une couleur, une odeur qu'il connaissait bien, celle des cadavres. Mais il n'était qu'Albert Chassaing, qu'un pauvre type, qui s'était saigné pour satisfaire Suzanne et permettre à son fils de faire ses études d'ingénieur, bien que son pouvoir se limitât à se saigner aux quatre veines ; rien à voir avec les veines des mains et des pieds du crucifié éclatés sous la pression des clous ; cette saignée, pour Albert, évoquait davantage la saignée du cochon, sinon il n'aurait pas repris le titre de « saigneur » qu'il se donnait lors de la tuaille en riant. Albert posa ses deux mains de géant sur la table, espérant que la peur qui venait de l'assaillir s'enfonçât dans le Formica rouge, une espèce d'incantation barbare et silencieuse alors que tous les regards étaient dirigés sur lui comme si tout le monde attendait quelque chose de lui. Croisant le regard désespéré de la veuve Morvandieux qui venait, à son âge, de mettre elle aussi de vraies images sur la guerre, Albert laissa échapper : « Maintenant, faudrait bien qu'il revienne ce gamin. »

Suzanne se désenroula, laissant s'enfuir un moment la douleur sur laquelle elle s'était recroquevillée. Elle entendit dans cette phrase apparemment anodine les prémices d'un drame ou d'un miracle, à venir. La phrase résonnait encore : « Maintenant, faudrait qu'il revienne ce gamin. » Tout le monde l'avait entendue, mais personne ne voulut la relever. Suzanne connaissait Albert mieux que personne, et si, à cet instant, son mari redevint à ses yeux le héros qu'elle avait cru épouser, qu'elle croyait aussi capable des plus grands sacrifices, elle savait au fond d'elle, sans jamais avoir lu ni *Andromaque*, ni *Britannicus*, que l'héroïsme s'achevait toujours dans le deuil. Cela n'annonçait rien d'autre, au-delà de l'exploit, que la fin des bonheurs.

Personne ne voulait quitter la cuisine, même si chacun aurait préféré être ailleurs. L'esprit de tribu se manifesta comme il se manifestait au moment des vendanges, de la tuaille du cochon ou des enterrements. La tribu préhistorique se reconstitua naturellement, à cause des mauvaises images qui étaient venues au cœur de la maison annoncer les pires présages. Chacun savait qu'il fallait toujours opposer au mauvais sort la plus grande vitalité et quelqu'un fit sauter le bouchon d'une bouteille de clairette de Die, ce qui, dans le silence, eut pour effet de susciter petits cris des femmes et éclats de rire des hommes. C'était Monsieur Antoine qui, connaissant mieux que personne le fonctionnement des hommes en société, tenait la bouteille dans ses mains, prêt à servir.

— Je ne connais pas votre fils aîné, déclara-t-il, mais ce garçon mérite que l'on boive à sa santé et à celles de tous ces jeunes appelés, non ?

En une phrase, il retrouva le chemin du paganisme, le seul chemin qui pouvait rassurer, proposant une bacchanale en guise de cérémonie religieuse et de prière. Il servit un verre à Gilles qui n'osa pas le prendre. Jamais il n'avait encore bu d'alcool. Son père lui fit signe qu'il pouvait accepter. Albert trinqua même avec son fils. C'était une façon de l'adouber, de lui dire qu'il était un homme maintenant, ou du moins qu'il était sur le chemin.

Puis doucement, un verre après l'autre, les invités d'un soir quittèrent la cuisine, chacun prononçant une parole rassurante, remerciant ou plaisantant. Monsieur Antoine resta le dernier, après le départ de Liliane et André.

— Quelle drôle d'invention cette télévision, lança-t-il sur le pas de la porte.

Puis s'adressant à Gilles, il ajouta :

— Nous, on se voit demain matin. À la fraîche, dès huit heures, ce sera plus agréable.

— Une nouvelle dictée ? demanda Albert espérant, en montrant encore son intérêt, effacer tout soupçon le concernant.

— Pas seulement. Nous allons surtout parler d'*Eugénie Grandet*.

Après le départ de Monsieur Antoine, la maison ne redevint pas tout à fait la maison Chassaing. Ses rituels avaient été chamboulés autant que les esprits. Suzanne n'éprouva donc pas le besoin d'être la dernière à aller se coucher comme elle le faisait tous les soirs depuis des années, et renonça à son temps de solitude et à sa toilette. Elle voulait être seule, s'enfoncer dans son chagrin, à pleurer son fils abandonné dans cette guerre qui n'était plus si loin que ça. Presque somnambulique, elle monta sans un mot, à part « je vais me coucher », comme si elle avait dit « je vais mourir ».

Gilles monta à son tour dans sa chambre et sombra dans les pages qui lui restaient à lire. *Eugénie Grandet* venait de recevoir une lettre de *Charles*, une lettre qu'elle attendait depuis sept ans. Gilles retrouvait dans la fébrilité d'*Eugénie* des comportements et des attitudes qu'il avait repérés chez sa mère à la lecture d'une lettre d'Henri. C'étaient à peu près les mêmes signes. Il n'eut aucun doute sur le bonheur qu'éprouvait *Eugénie* avant de lire la lettre malgré les châtiments et les deuils qu'elle avait endurés. La question du bonheur et des différentes formes qu'il prenait se posa de nouveau : pour le *Père Grandet*, c'était la tranquillité qu'offrait la richesse grâce à son or ; pour *Madame Grandet*, le bonheur était au ciel ; pour *Nanon* il était dans cette maison et nulle part ailleurs ; pour *Eugénie*, il était dans l'amour qu'elle vouait à son cousin. Gilles se demanda quelle forme il avait pour lui à cet instant. Il pensa aux siècles de livres qui l'attendaient dans la maison de Monsieur Antoine. Mais est-ce que ça pouvait vraiment être ça le bonheur ? Il chercha dans le dictionnaire, qu'il avait aussi emprunté à son frère, l'étymologie de ce mot. Il découvrit que le bonheur n'était pas cet état de béatitude qu'il avait imaginé, le bonheur était un présage, le présage du bien, comme le malheur était le présage du mal. C'était juste une promesse. L'or était le présage du bien pour *Grandet*, le ciel était le présage du bien pour *Madame Grandet* et l'amour le présage du bien pour *Eugénie*. Pour sa mère, cela ne fit aucun doute, le seul bonheur possible serait le présage qu'Henri lui reviendrait sain et sauf ; mais ce qu'elle avait vu ce soir à la télévision devait davantage résonner en elle comme une malédiction proférée par un oracle dans sa propre cuisine. Mais Gilles était bien trop au plaisir que son père lui avait donné aujourd'hui pour penser à sa mère qui pleurait seule dans sa chambre. Il eut peur, soudain, que cet état de bien-être soit dérisoire, sinon disproportionné. Après tout c'était normal qu'un père appelle son fils par son prénom. Il voulut vérifier comment les pères appelaient leurs enfants. Le roman n'en finissait pas de répondre à ses questions. Le *Père Grandet* appelait-il sa fille par son prénom par exemple ? Au lieu d'achever sa lecture, il commença à fouiller entre les pages à la recherche de ce détail qui lui paraissait si singulier. Il eut beau chercher, il n'en trouva aucune trace dans les dialogues ; si ! La mère, une fois. Le *Père Grandet*, lui, n'appelle jamais sa fille *Eugénie*. Jamais. Pourquoi son père l'avait-il fait aujourd'hui plusieurs fois ? Gilles s'endormit sans trouver la réponse, juste avec la certitude qu'il se passait bien quelque chose d'extraordinaire entre son père et lui.

La Nuit

Aimer. C'était le seul mot qui le faisait encore respirer. Albert n'avait plus d'autre désir que de vouloir sauver son fils Henri, comme s'il avait gardé en lui ce sentiment en attendant le jour idéal pour le reconnaître lui-même bien plus que pour l'exprimer. Ce jour était arrivé. Ce fut une découverte, en même temps qu'un soulagement. Albert resta assis à la table de la cuisine, presque heureux. Des nuits il ne connaissait que la fournaise et le bruit à l'usine ; mais là, il apprécia ce silence si particulier qui rendait les pensées plus légères, de fines particules de poussière qu'un courant d'air aurait pu soulever et laisser retomber sans bruit, un peu plus loin. Il se disait que tout était en place. Il comprit mieux pourquoi Suzanne prévilégiait ce moment chaque soir. Il profita des volets clos sur la rue pour se déshabiller et faire sa toilette. Il voulait mourir propre. Mais, au lieu de se laver, il resta assis nu dans la cuisine. Il alluma une Royale du paquet que sa femme avait laissé sur la table. Il essaya de faire des ronds parfaits avec la fumée qu'il recrachait. L'enfant qu'il n'aimait pas occupait toutes ses pensées. C'était vrai qu'il ne s'était jamais occupé de cet enfant, qu'il s'était juste tenu à sa place de père qui nourrit et qui se saigne. C'était vrai aussi que, s'il ne l'avait pas vu à la télévision, il ne se serait même plus souvenu de son visage. D'ailleurs c'était à peine s'il l'avait reconnu, sûrement à cause de son crâne rasé et du béret sur le côté. C'était vrai aussi qu'Henri ressemblait à sa mère et qu'il n'avait aucune trace de son père ni dans le visage, ni dans la corpulence, ni dans le regard, ni dans la façon d'être. Aucune plainte, après tout, lui, il avait déjà eu un enfant : Liliane, qu'il avait perdue. C'était vrai que Liliane était sa petite fille, qu'il l'avait aimée plus qu'il n'avait aimé aucun de ses propres enfants. Ou alors peut-être que j'ai pu aimer Liliane parce qu'elle n'était pas née de moi. Peut-être qu'il ne pouvait pas aimer ce qui venait de lui. Mais si ! Il aimait Gilles, cela ne faisait aucun doute et Gilles l'aimait. Il aimait Henri maintenant, il le ressentait dans sa chair. Ça ne trompe pas. Et le cerisier qu'il avait scié à moitié. Qui allait finir le travail ? Henri, certainement, quand il rentrerait. Mais peut-être qu'il fallait le laisser en l'état. Les arbres sont costauds. Le cerisier s'en remettra, il cicatrisera et formera à l'endroit de la plaie une loupe magnifique. Peut-être qu'une fois mort l'âme d'Albert viendra colmater la blessure et se loger dans la boursouflure de l'écorce. Il divaguait. Il ne voulait pas divaguer. Il n'était pas fou. Seulement malheureux de ne plus pouvoir vivre.

Il n'allait ni se plaindre ni ralentir la fin, maintenant qu'il avait trouvé une peur plus grande que la peur que pourrait lui procurer la tristesse de sa propre mort. Le miracle tant espéré était venu, et il était venu de la télévision, dans la télévision, par la télévision. Ça aussi, c'était inouï. Sans ce reportage, il n'aurait même jamais pensé à sauver Henri de cette guerre pour le faire revenir. C'était simple. Une fois mort, Henri serait reconnu soutien de famille. Il ne pouvait pas en être autrement, avec une mère qui ne travaille pas et un jeune frère qui débute son chemin dans la vie. Albert pouvait même imaginer ce qui allait suivre la découverte de son corps le lendemain matin. On allait prévenir l'état-major, qui à son tour agirait au plus vite. Peut-être même qu'Henri serait de retour pour l'enterrement. Ce n'était pas si loin, en avion, l'Algérie. Et puis, s'il n'y était pas, ce ne serait pas grave. L'important, c'était qu'il revienne pour toujours. Et Gilles ? Il avait déjà les livres, il avait Monsieur Antoine maintenant et sa mort consoliderait ce lien, c'était sûr. Albert s'accrocha à cette idée et tourna autour comme pour vérifier qu'il n'avait rien oublié, qu'il avait fait ce qu'il fallait pour cet enfant. Quand Gilles aurait-il lu tous les livres ? Probablement jamais, ça ne doit pas en finir.

La nuit était plus douce qu'il ne l'avait imaginé. L'éternité devait avoir cette douceur-là. Cette fois-ci, il avait pris la bonne décision parce que lui seul pouvait ramener à Suzanne son fils adoré. Au fond, il s'était exclu lui-même de ce couple que Suzanne avait formé avec Henri. Elle avait engendré l'homme de sa vie, elle qui n'avait été mise au monde par personne. La naissance de Gilles fut une chance pour Albert. Il se souvenait de Suzanne, pleurant en apprenant sa seconde grossesse. Combien de fois il avait essayé de la rassurer. Peut-être que ce sera une fille ? Mais Suzanne ne voulait pas de fille non plus. Albert avait toujours eu l'impression que sa femme lui en avait voulu de lui faire cet enfant. Il se souvenait d'elle encore, pendant sa grossesse, qui partait à vélo sur les chemins les plus cahoteux, avec la volonté de le faire descendre de son ventre, le « faire couler » comme elle disait. Il se souvenait aussi de la nuit où sa propre mère avait proposé de le « faire passer ». C'est à ce moment-là qu'elle avait dû lui parler de ses avortements. Il se souvint de sa colère, la seule qu'il ait manifestée de toute sa vie, lui qui était toujours d'un calme ancestral. Sans cette colère, qu'il ne s'expliquait toujours pas, il n'aurait pas eu le bonheur de connaître Gilles. Il eut envie d'aller le réveiller et de lui parler. Tu es si différent de moi et si proche. Je ne me sens pas à ta hauteur mais je t'aime. Jamais il n'avait dit ce mot-là, ni à lui, ni à personne, même pas à Suzanne, ni « Ma chérie », ni « Mon amour ». Jamais il n'avait dit ces petits mots sans substance que les hommes et les femmes se disent comme des clins d'œil au détour des phrases. Pas même quand il l'avait rencontrée, pas même quand il l'avait demandée en mariage ; il s'était contenté de lui faire sa demande : « Suzanne, est-ce que tu veux m'épouser ? » Il ne lui avait même pas dit : « Suzanne, est-ce que tu veux être ma femme ? » Gilles, peut-être qu'un jour toi, avec toute ta littérature, tu sauras mettre des mots sur tout ce désarroi. Je n'en suis pas capable. La balle imaginaire qui s'était logée tout près du cœur vient juste de bouger. Tout à l'heure je vais mourir. Tout à l'heure je ne serai plus. Je ne serai plus ce que je suis maintenant et que je n'aime pas être. Je n'aime pas qui je suis. Je n'aime pas ce qu'il faudrait que je sois, je n'aime pas me réjouir de cette vie-là, je ne suis pas de cette vie, je suis d'un autre temps que je n'ai pas su retenir. Après, ils pourront tout effacer avec leur remembrement, leurs machines à laver le linge et leur télévision. Tu comprends, Gilles, je ne veux pas être témoin de la fin de ces temps que j'ai tant aimés, même s'ils étaient difficiles et quelquefois injustes. À ce moment-là, il pensait aux femmes et aux douleurs qu'elles subissaient dans leurs corps. Mais les temps qui venaient seraient-ils plus justes ? Peut-être, mais ce n'était pas le sien. Les mots étaient enfermés dans sa tête et ne glissaient que très rarement jusqu'à sa bouche. Ce soir, ils sortaient abondamment de ses yeux. Jamais il n'avait autant aimé pleurer que cette nuit-là, ce n'étaient pas des larmes de tristesse, ni de joie, seulement l'expression de quelque chose qu'il ne connaissait pas, d'une incroyable pureté qui le lavait de tout. Gilles, lui, saura dire les mots. Sa pensée chemina encore dans le labyrinthe des souvenirs, des reproches, des plaintes et des sentiments. Maintenant, il ne voulait plus que les morts autour de lui, la longue généalogie des ancêtres dans la terre dont il reconnaissait l'haleine quand la brume se levait sur les champs aux crépuscules. L'eau de la rivière coula à nouveau sur lui d'une fraîcheur identique à celle qu'il avait ressentie dans l'après-midi quand il s'était couché comme mort dans la Gorne, le même oubli, la même liquéfaction. Il ne voulut plus être que ça, de l'eau qui coule, une pierre, un nuage. Il n'avait jamais joui de cette vie. Tout ce qu'il avait fait, il l'avait fait par devoir, par principe, par nécessité, comme un mendiant. Il était un mendiant. Et cet amour pour Suzanne, était-ce vraiment de l'amour ? La réponse tomba sur lui avec une netteté qu'il n'avait pas cru possible, comme si l'engagement qu'il avait pris avec sa propre mort aiguisait ses réponses au point de les rendre aussi coupantes qu'une lame de rasoir. On peut mourir dans le mensonge. On ne peut pas se donner la mort sans s'être dit à soi-même la vérité. Non. Pourquoi le fort de Shoenenbourg où il avait été soldat revenait alors qu'il se posait la question de la vérité ? C'était étrange. Non, il n'aimait pas vraiment Suzanne, il l'avait toujours su, mais il ne la détestait pas non plus. Dès la première nuit, la nuit de noces, il avait profité de l'obscurité dont Suzanne avait eu besoin pour échapper à son regard ; et, dans l'obscurité, il n'avait pensé qu'à Liliane. Elle avait la même odeur, la même peau, la même façon de s'accrocher à son cou. Ça l'avait troublé au point de lui faire perdre ses moyens. Ils s'étaient endormis, Suzanne encore vierge. Puis, il avait fini par aimer ce secret, jusqu'à cette nuit. Il ne lui restait plus qu'à l'emporter avec lui dans la tombe. Oui, il avait aimé Liliane plus que tout, au-delà de tout. « Au-delà. » C'était la deuxième fois qu'il y avait recours aujourd'hui. Et puis, maintenant, Suzanne avait un amant et il en éprouva un grand soulagement. Pas pour lui, pour elle. Est-ce qu'Henri comprendra que sa mère ait besoin d'un homme pour l'aimer dans son corps ? Tant pis s'il ne le comprend pas, tant pis si elle laisse son fils la coloniser tout entière. Il allait le lui ramener, tout comme il le lui avait ramené le jour où, encore tout petit, il avait disparu et qu'on l'avait cru noyé. Elle avait été folle de joie. Elle sera folle de le retrouver et de savoir qu'il ne retournera pas se faire tuer. La mère et le fils viendront sur sa tombe, puis un jour ils ne viendront plus. Gilles revenait encore dans ses pensées. Comprendrait-il sa décision, et la supporterait-il ? Heureusement, il lui avait raconté plusieurs fois l'histoire de son grand-père et des harnais sur ses épaules d'enfant. Il entendit sa mère baragouiner tout près de lui, peut-être derrière lui. Il crut, quelques secondes, qu'elle était morte et qu'elle lui apparaissait. Mais non, elle était vivante, il ne rêvait pas. Elle était bien là, derrière la vitre de la porte qui donnait sur le jardin. On l'avait simplement oubliée sous le cerisier. Elle n'avait pas l'air de se plaindre pour autant. Albert ne pensa même pas à se rhabiller. C'était fini, ça ; jusqu'à sa mort il ne s'habillerait plus. Tel qu'il était à sa naissance, il se présenta devant sa mère. Elle avait bien été nue ce matin devant lui, il pouvait bien l'être cette nuit devant elle. D'ailleurs elle ne fit aucune remarque à ce sujet. Elle parlait, priait, chuchotait, souriait à ses anges de temps en temps ou aux morts, à tous ses disparus, impossible de savoir. Elle était joyeuse.

— Albert ! Oh, mon Albert ! Merci, mon Dieu. Personne voulait me croire, mais moi je savais bien que tu reviendrais ! Ah çà, oui, je le savais. Même la mère Morvandieux n'arrêtait pas de me dire que tu reviendrais. De toute façon, celle-là, elle aime que les enfants qui meurent. Mais où t'as mis tes habits donc ? Tu vas m'attraper mal mon pauvre petit.

Il avait cinquante ans, la stature d'un colosse et elle le voyait comme un enfant. Il aurait tellement aimé, lui aussi, voir le monde comme il n'était pas. Mais il devait trouver une réponse à la question que sa mère lui posait.

— Mes habits ? Je les ai perdus dans la rivière.

— Ah !! Cette Gorne ! C'est une garce des fois, quand elle se met à avoir du courant. J'en ai perdu moi aussi dedans, t'imagines pas ! Une fois, une paire de draps ! Quelle histoire ! C'est qu'au printemps elle est grosse ! Heureusement que ton père n'est plus de ce monde. Une belle tête de con, celui-là !

Albert ne put s'empêcher de sourire.

— Albert…

— Oui, maman.

Dit comme ça, au cœur de la nuit, le mot de maman redevenait un mot d'enfant. Albert avait à ce moment-là tous les âges.

— Tu crois que je sais pas que tu mens ? Tu crois que je sais pas que c'est les Boches qui t'ont mis tout nu ! À moi, tu peux dire les choses. Mais, ils t'ont rendu, c'est tout ce qui compte mon petit agneau tout noiraud.

Et elle se mit à rire et son rire ressembla aux ricanements d'une petite chouette boulangère. Non, elle ne le voyait plus comme un enfant, même s'il y avait très longtemps qu'elle ne l'avait plus appelé « mon petit agneau tout noiraud » à cause de ses cheveux noirs et bouclés. Elle le voyait à peu près tel qu'il était. Elle venait de faire une remontée fulgurante dans le temps. Elle était en 1946. Le temps était complètement défait. Albert s'assit à ses pieds, face à elle, les genoux ramassés dans ses bras repliés, il regarda les grosses mains d'hommes de sa mère qu'elle tenait posées sur son tablier. Il eut envie de les embrasser et de poser sa tête dedans. Il n'osa pas le faire. Il ne voulut pas abuser d'elle.

— Que veux-tu, c'est pas ta faute.

— Qu'est-ce qui est pas ma faute, maman ?

— Si on a perdu la guerre, pardi ! Tu sais, ton père a pas toujours dit la vérité quand il te racontait ses batailles à Verdun et je ne sais où encore ! Ah ! celui-là ; on aurait bien cru qu'il avait gagné cette guerre tout seul, sur son cheval. Pauvre homme, tiens !

Puis, après un silence, elle ajouta :

— Il était pas méchant non plus. Y voulait pas travailler, c'est tout. Pas feignant ! Oh non ! Il faisait bien le pain. Et son jardin, pas une mauvaise herbe, tu te souviens ?

— Oh oui, je me souviens.

— Les champs, fallait pas compter sur lui. Il y arrivait pas. Ça me le foutait par terre. Moi, ça me faisait pas peur, heureusement ! Qu'est-ce que tu veux, j'ai toujours aimé être dehors. J'aurais pas supporté de rester comme ces bonnes femmes qui font de la couture, enfermées toute la journée devant une machine à coudre ! Ah çà non ! Déjà quand j'étais bonne, ça me plaisait pas trop. Qu'est-ce que tu veux, moi je suis née dehors ! Lui, il aurait préféré travailler à l'usine. Mais ça embauchait pas de ce temps-là. Il aimait bien la mécanique. C'est lui qui t'a donné tout ce goût des réveils ! Il t'a tout appris, ça, on peut pas lui reprocher… Enfin ! C'est fini tout ça… C'est mort… Mais t'es là, toi, ils t'ont rendu ces saletés de Boches, c'est tout ce qui compte.

Madeleine venait de toucher la partie la plus secrète d'Albert : sa honte de soldat vaincu face à l'héroïsme du soldat de Verdun. Sa honte était intacte. Tout comme dans l'après-midi, il avait laissé remonter en lui toutes sortes d'émotions enfouies depuis l'enfance, ses cinq ans de captivité remontèrent au cœur de cette nuit étrange et vulnérable. Intacte, oui. Pas un trésor cette fois-ci, un poison. Il n'avait jamais parlé de la guerre après son retour. Suzanne avait longtemps cru qu'il avait aimé une autre femme là-bas, du moins elle se l'était raconté pour justifier le peu d'ardeur de son mari à la retrouver, sans se rendre compte de la distance qu'elle avait elle-même créée avec son enfant. Non, il avait juste aimé, là-bas, redevenir un paysan, dans une ferme, même s'il avait été aussi mal traité qu'un chien. Combien de fois on lui avait jeté la nourriture par terre en exigeant qu'il l'attrape sans la toucher avec les mains, pour faire rire la galerie, surtout les enfants. L'odeur de la terre, même allemande, avait maintenu la vie en lui. Puis il avait fini, grâce à sa force herculéenne, par se faire respecter des fermiers allemands. Il ne mangea pas à leur table, mais il mangea à sa faim les deux dernières années. C'est pour ça qu'il n'était pas revenu amaigri. Personne ne pouvait ressentir ce qu'il avait éprouvé en rentrant, ni ce qu'il ressentait encore aujourd'hui quand il pensait aux souffrances des Français, à l'héroïsme des résistants devant l'infamie des camps de concentration et des chambres à gaz dont il avait entendu parler en captivité mais qui étaient devenues une réalité indiscutable grâce aux témoignages des victimes qui commençaient à parler. Impossible de se plaindre après cela. Il avait souffert de l'éloignement, lui qui n'avait quasiment jamais quitté la maison d'Assys. Ses souffrances de soldat en captivité ne valaient pas grand-chose, même rien. Ne rien dire. Ne pas parler. Supporter sur ses épaules la défaite française, les sarcasmes de tout le monde sur la reddition des soldats à Schoenenbourg sur la Ligne Maginot où il avait été muté fut plus lourd à porter que n'importe quel fardeau. Il se souvenait de Gilles, tout petit, qui pour la Ligne Maginot, la seule fois où il en avait parlé, avait compris l'Imaginot. Quel beau mot tout de même il avait inventé. N'empêche qu'Albert s'était toujours interdit de se rendre aux commémorations du 8 mai. Suzanne et Henri avaient même ri en voyant au cinéma *La Vache et le Prisonnier*. Lui avait eu envie de vomir. La victoire fut sa défaite. Le châtiment n'avait pas été la captivité mais le retour. Sa vie, après la guerre jusqu'à ce matin, n'avait rien été d'autre qu'un temps durant lequel il s'était lui-même condamné aux travaux forcés.

Et maintenant que faisait Henri dans un pays qui n'était pas le sien ? C'était quoi, cette guerre ? Contre qui ? Il ne pouvait y avoir d'héroïsme que si l'ennemi entrait dans la maison. Mais là, l'ennemi était chez lui, en Algérie. Était-il seulement un ennemi ? C'était une guerre politique ! De Gaulle aurait dû l'empêcher après la défaite de l'Indochine, dès son arrivée au pouvoir. Mais non, de Gaulle était un militaire et en bon militaire il aimait avoir des ennemis. Ses pensées se débobinaient de plus en plus facilement, toutes nues, comme lui, comme au temps de la création, peut-être même avant la création, chaotiques, sans fioriture, sans être recouvertes de ce voile qu'on leur jette sur la figure pour rendre la vérité moins éblouissante.

Lui seul avait le moyen de faire revenir Henri.

Pas seulement pour faire plaisir à Suzanne, pas seulement parce que son ingénieur de fils ne savait pas se battre, mais pour lui éviter la honte. Mieux valait être réformé que vaincu. Il croisa le regard vitreux de sa mère assise dans son fauteuil. Elle avait la tranquillité d'une petite divinité africaine. Elle avait l'air de partager son avis sur tout, mais il ne saura jamais pourquoi il l'avait imaginé d'Afrique, cette nuit-là, sa mère, lui, qui n'avait jamais mis les pieds plus loin que cette ferme en Allemagne du Nord.

— Il faut aller dormir, maman. Je vais te porter.

Quand il la prit dans ses bras, toute vidée de ses anges, elle n'était pas bien lourde. Elle était si légère qu'il aurait pu l'envoyer jusqu'aux étoiles s'il avait été sûr qu'elle y resterait. Il la remonta jusqu'à sa chambre. Sa mère était devenue son enfant dans ses bras puissants ; puis il l'allongea sur le lit sans la déshabiller. Il la regarda un moment. Une fois qu'elle fut allongée, le patois revint dans la bouche de Madeleine comme la bulle dans le niveau d'un maçon. Il éteignit la lumière et passa dans sa chambre pour voir sa femme.

Suzanne dormait, écrasée par les images qu'elle avait vues à la télévision. Il s'approcha d'elle pour la respirer, pour respirer l'odeur de « sa petite fille » une dernière fois. Mais ce soir Suzanne n'avait pas l'odeur de Liliane, elle sentait la rivière. Son amant et le bain l'avaient épuisée autant que les images de la télévision. Il la regarda longtemps et sans regret.

Le cerisier dans le jardin était encore debout et bien entaillé. La bergère Louis-Philippe faisait un joli décor sous les branches. Il procéda à sa toilette, une toilette complète, celle du dimanche, c'est-à-dire qu'il se lava les bras, le ventre et les cuisses aussi ; tous les jours pour l'usine, ce n'étaient que le visage, les fesses, le sexe et les pieds. Depuis tout petit, sa mère le lui avait toujours dit : « *La toilette de tous les jours c'est pas difficile, faut laver ce qui se voit et ce qui sent.* » Au-dessus de lui, à travers le plancher, il entendit sa mère qui baragouinait encore en patois.

Un désir soudain, le dernier, voir Gilles dans son sommeil. Il remonta l'escalier et entrouvrit la porte de la chambre. Son fils dormait la tête écrasée sur le livre ouvert de Balzac. Gilles avait presque fini sa lecture. Il s'était gardé quelques pages pour le lendemain. Albert put lire le titre sur le haut d'une page, *Eugénie Grandet.* Ce furent les deux derniers mots qu'il lut dans sa vie d'homme. Il se dit que son fils s'était endormi avec cette journée merveilleuse dans la tête.

La fraîcheur remontait de la Gorne. Il aima ce silence tout simple. Une mouche, perdue entre la nuit et le jour, tournait dans l'espace de la cuisine, folle, incapable de se poser quelque part. Des trajectoires incompréhensibles en long, en large et en travers. Albert suivit toute cette géométrie dans l'air, droites, cercles, tangentes autour du ruban tue-mouches, puis la mouche se posa sur le verre du poste de télévision, frottant ses pattes les unes contre les autres comme si elle se préparait à un festin ou à un combat. Elle reprit sa course délirante à travers la pièce, toujours la même géométrie, défiant la spirale gluante. On aurait dit un jeu. Elle se posa sur le capuchon du papier tue-mouches, tout près de la punaise en laiton qui retenait le serpentin gluant au plafond, puis repartit vers la porte et, plus incompréhensible encore, dans une volte-face suicidaire, elle se jeta sur le papier tue-mouches. Ça y était, elle était prise au piège dans la glu jaunâtre. La pauvre, elle n'avait pas réussi à résister à l'odeur résineuse du papier tue-mouches. Ce fut plus fort qu'elle. Plus elle s'agitait, plus elle s'enlisait. Les quatre pattes y étaient cette fois-ci. Aucune chance d'échapper à une mort lente et douloureuse. D'ailleurs, de quoi les mouches mouraient-elles au juste ? Ce n'était pas la glu qui les tuait, elles mouraient de faim ou d'épuisement. Fallait voir comment elle se débattait à s'en casser les ailes ! Elle avait peur, c'était visible. Et dans son regard l'image d'Albert nu, assis à la table, se démultipliait. Elle voyait une dizaine d'Albert se lever dans les alvéoles de son regard, sans savoir qu'ils ne se rassiéraient plus jamais de leurs vies ces hommes nus. Albert prit le plus soigneusement possible la mouche par les ailes entre ses doigts, traversa la cuisine, ouvrit la porte et la libéra, espérant qu'elle ne se repose pas et qu'elle vole suffisamment longtemps à l'air libre pour que ses pattes finissent par sécher. Il avait réussi à faire revenir le silence et il aima encore davantage le jour qui se levait et le cerisier qui commençait à chanter. Nu, il continua sa sortie jusqu'à son garage aux réveils en se disant qu'il allait rendre Suzanne heureuse, qu'Henri lui reviendrait, que Gilles avait trouvé le chemin et que sa vieille mère l'avait déjà oublié ; puis il se dit qu'il fallait bien mourir un jour et que ce jour était arrivé. Rien de plus.

Le lendemain matin

C'était décidé, la séance chez le photographe aurait lieu avant midi. Suzanne eut juste le temps de dire à Gilles de ne pas s'attarder chez le voisin, qu'elle ne savait pas où était passé son père, qu'il avait dû se lever aux aurores, qu'elle ne l'avait même pas entendu se coucher. Elle faisait semblant d'ignorer le poste de télévision. Elle n'attendait que la lettre d'Henri et la venue de Paul pour apaiser le tourment dans lequel le reportage l'avait plongée la veille. Gilles était en retard. Il sortit de la maison en short, les cheveux encore mouillés, la raie bien faite sur le côté et *Eugénie Grandet* à la main. Il était prêt pour cette discussion autour du roman.

Quelque chose pourtant freina son ardeur à se rendre chez Monsieur Antoine, un miaulement lymphatique, une petite plainte. La porte du garage était restée entrouverte ; un léger courant d'air s'amusait à la faire grincer. Pourtant, il n'y avait pas un souffle d'air. D'habitude, elle ne grinçait pas. Ça, Gilles en était sûr. À cause de ce détail sans importance, tout ce qu'il connaissait ou croyait connaître depuis toujours lui parut soudain étrange, presque hostile, et ce bruit minuscule eut le pouvoir de tout défigurer autour de lui. Fermer la porte lui parut la chose la plus simple à faire, mais, au lieu de la fermer, il l'ouvrit. Dans le garage aux réveils, il découvrit son père, entièrement nu, en état de lévitation, comme s'il le croyait capable de ce genre d'élévation mystique ; jusqu'à ce qu'il comprenne, grâce à l'ombre portée sur le mur par la lumière qui venait d'entrer avec lui, que son père s'était pendu à une poutre.

Il resta là, sans bouger, capturé par cette vision du père sans vie suspendu au-dessus d'un bric-à-brac d'horloges et de pendules cassées. Corps nu, blancheur presque lumineuse, bras ballants, visage gonflé légèrement bleui, yeux exorbités étonnés eux-mêmes de la pendaison, le sexe comme un balancier au centre de son corps, paumes des mains ouvertes qui disaient : « Regardez ce que c'est, des mains inutiles. » Il ne pensa pas à sa mère qui faisait la vaisselle du petit déjeuner. Il ne pensa pas à son frère en Algérie. Il ne pensa pas à sa grand-mère qui n'était pas encore levée. Il n'avait que ce bouquet de phrases qu'il avait apprises par cœur dans la bouche qui l'étouffait.

Puis, son être fut envahi par une phrase, une seule, qui retomba sur lui en une pluie finie et invisible pour le secourir ou l'engloutir ou le tuer. *Encore enfant, encore dans l'âge où les sentiments se produisent avec naïveté.* Balzac avait écrit cette phrase au sujet des larmes de *Charles Grandet*, à l'annonce de la mort de son père. Seulement Gilles, à la différence du jeune dandy frivole, ne pleurait toujours pas.

Gilles quitta le garage, à reculons, pour garder cette dernière image de son père mort, comme s'il était capable de la supporter à lui tout seul ; puis il referma la porte. La porte ne grinça pas cette fois-ci. Avoir replongé le pendu dans l'ombre et dans le silence de ses réveils cassés le rassura un peu. Son livre, son cahier et son porte-plume à la main, il remonta la rue jusqu'à la maison de Monsieur Antoine. Il devait lui parler du roman ce matin. Au lieu d'*Eugénie,* c'était *Charles Grandet* qui marchait à côté de lui et semblait l'accompagner dans cette marche qui n'avait rien de funèbre, plutôt une marche dans le vide. *Tu vois, Gilles, il faudra écouter Monsieur Antoine. Lui, il sait.* C'était le testament de son père. Difficile pourtant de tenir en équilibre. Il était comme un funambule sur un fil d'acier qui se serait écrasé par terre s'il n'avait eu pour balancier d'un côté la voix de son père qui murmurait encore son prénom Gilles, Gilles, Gilles… et, de l'autre, tous les mots de Balzac serrés dans sa main.

Loin d'imaginer ce qui pouvait se passer, Monsieur Antoine réussit très vite, malgré une agitation anormale de l'enfant, à le remettre sur le chemin de Balzac comme cela était prévu depuis la veille. Mais, au lieu de parler de l'héroïne du livre, Gilles embraya directement sur *Charles Grandet* pour lequel il avoua une profonde aversion.

— Pourquoi penses-tu que *Charles* n'aurait pas dû quitter *Eugénie* ?

— Parce qu'elle lui a tout donné. Tout l'or qu'elle avait.

— Donc, pour toi, la chose la plus précieuse sur terre serait du métal ?

— Oui.

— Alors pourquoi ça ne permet pas de retenir quelqu'un ?

Gilles bataillait contre cette image de son père pendu dans le garage aux réveils. Il s'asphyxiait, luttait de toutes ses forces pour donner du sens ne serait-ce qu'à cette journée qui venait de lui enlever justement ce qu'il y avait de plus précieux pour lui dans ce monde. Et il ne trouva rien d'autre à ajouter que : « Moi, je vous quitterai jamais. »

Monsieur Antoine mesura l'état de confusion du jeune garçon. Il n'était pas sûr que Gilles ait entendu ce qu'il venait lui-même de dire. Il s'adressa à lui avec la douceur qu'il aurait mise pour le réveiller après une longue nuit de sommeil.

— Gilles ? Ça va ?

— Il n'y a que mon père qui m'appelle Gilles, que mon père ! Et personne dans le livre n'appelle *Eugénie* par son prénom. Sauf sa mère, une fois. Jamais son père.

— Si tu le dis, sûrement que c'est vrai. Je ne l'avais pas remarqué. Tu penses que si son père l'avait appelée par son prénom ça aurait changé quelque chose pour elle ?

Gilles ne s'était pas posé la question. Il avait seulement fait ce lien étrange avec lui. Il avait envie de pleurer mais ça ne venait pas, même si les larmes commencèrent à brûler ses yeux à cause de la voix si profonde et si tendre de son père qu'il entendait encore, cette voix qui prononçait son nom et qui était déjà en train de devenir un souvenir.

— Je crois que… elle serait moins morte…

Un regard moins aguerri que celui de Monsieur Antoine n'aurait jamais pu déceler cet état particulier qui fait qu'un enfant passe soudain à la parole, où il peut enfin mettre des mots sur les choses innommables, donner à la parole son pouvoir et sa justesse pour la première fois de sa vie ; ses connaissances pédagogiques lui permirent très vite d'apercevoir, dans cette phrase, le premier mouvement de ce passage qui met un terme définitif à l'enfance. C'était une chose rare et magnifique que d'assister à ce glissement vers la vie d'homme par la prise de parole, plus rare que d'assister au premier pas d'un nourrisson ou à son premier mot. La charge était lourde, la mue difficile à quitter. L'ancien maître d'école savait surtout qu'il fallait avoir vécu un drame pour y parvenir si brusquement et surtout si jeune. L'urgence n'était plus le texte du roman, c'était Gilles et ce que Gilles essayait de dire et qui semblait si difficile à formuler, si dur, si impossible.

— … Gilles, parle-moi.

Gilles était bien incapable de libérer le drame qui se nouait encore dans ses boyaux autant que dans son cœur. La réponse vint de plus loin, d'un cri dans le village, un cri de femme, d'une douleur inimaginable, un cri presque inhumain qui perça le silence et la chaleur. Suzanne venait de découvrir Albert dans le garage. C'était ce cri que Gilles attendait pour ne plus être seul à porter ce malheur.

— Mais que se passe-t-il ?

— Rien. Mon père est mort.

L'air entra si violemment dans ses poumons que son cœur faillit exploser. Ce fut comme s'il était resté en apnée depuis qu'il était entré dans le garage aux réveils, bâillonné, étranglé, presque mort. Monsieur Antoine comprit à ce moment précis qu'en lui confiant son fils Albert avait exprimé sa dernière volonté. Gilles put se jeter tout près de son cœur. L'ancien maître d'école l'accueillit et l'enferma dans ses bras pour éviter que le malheur le blesse davantage. Même si Gilles, tremblant de la tête aux pieds, ressentait jusque dans ses os cette épreuve qui venait de renverser sa vie, même s'il sentit qu'entre le moment où il était sorti du garage aux réveils et son entrée dans la maison de l'ancien maître d'école il avait fait ses premiers pas dans sa vie d'homme, il réussit malgré tout, comme *Charles Grandet,* à retenir son enfance, encore un peu, le temps que dureraient ses larmes.

L'Imaginot
ou
Essai sur un rêve du béton armé

« Avant tout, il faut prendre
conscience que l'expérience nouvelle dit
non à l'expérience ancienne. »

Gaston Bachelard, *La Philosophie du non*

« Nous allons de nous aux hommes,
jamais des hommes à nous. »

Honoré de Balzac, *Le Médecin de campagne*

2011. Le ciel est bleu. Gilles Chassaing noue sa cravate avant d'enfiler sa veste. Elle tombe parfaitement. Il vient de célébrer ses soixante ans, il a le même visage que son père, il est aussi grand que lui, mais son allure générale est moins massive, plus élancée.

Le professeur Chassaing arrive à l'université comme à son habitude, toujours à l'heure mais jamais en avance. Même s'il a fait mai 1968, il a toujours tenu à être élégant devant ses étudiants. Il enseigne les Lettres modernes depuis quarante ans, a publié plusieurs essais, dont l'un sur « La langue des tranchées » et attend sa retraite pour devenir romancier, à Assys, dans la maison que Monsieur Antoine lui a léguée, avec tout son contenu. Il l'avait notifié de cette manière dans son testament, « avec tout son contenu ». La maison de son père a disparu depuis longtemps. Vendue par sa mère, juste après son mariage avec Paul, elle a été entièrement restaurée par un jeune couple charmant qui mit dix ans pour lui redonner son aspect d'origine, aspect qu'elle n'avait en fait jamais eu. L'excroissance du garage fut détruite en premier.

Gilles Chassaing, ce jour-là, entre dans l'amphithéâtre, comme s'il y entrait pour la première fois, sans assurance et sans triomphe. Le cours, à la demande de ses étudiants, porte sur un sujet particulier : « Pourquoi le personnage militaire n'est-il plus un héros de la littérature française, ni le monde militaire un univers, alors que L'Iliade, *le texte fondateur, est un texte sur la guerre, sachant que la guerre et l'armée ont produit de grands romans français avant 1945 ? » Les étudiants affectionnent ce genre de formules, mais la vraie question, une fois la formule tordue passée, est de savoir si cette absence est liée à la question de la défaite de 1940. Un de ses étudiants, la semaine passée, avait évoqué la Ligne Maginot avec la plus grande légèreté et la plus grande ironie. Ça l'avait presque blessé, au moins affreusement agacé. L'Histoire, une fois encore, s'était invitée à sa table. Il demanda un temps de réflexion pour répondre à cette question assez générale, mais qui se trouve, d'une certaine manière, au cœur de sa vie, tout près du souvenir de son père.*

Jamais, quand il entre dans ce petit amphithéâtre, il ne manque de dire bonjour, ni même de prendre des nouvelles des uns ou des autres ; mais, ce jour-là, il oublie la politesse élémentaire, abandonne sa sacoche de cuir jaune sur son bureau et reste debout, comme à son habitude, veste boutonnée, mains dans les poches de son pantalon, tendu, relevant les épaules comme on le ferait pour se protéger de la pluie. Puis, il jette un coup d'œil vers le ciel bleu de l'autre côté des fenêtres, du côté des morts, prend une longue respiration et entre dans le vif du sujet, sans aucun préambule.

« Ce sont les hommes qui font l'histoire et non l'inverse, serinait Marx à longueur de temps, et il avait raison. Balzac aurait pu dire la même chose au sujet du personnage et du roman. Ce rappel nécessaire étant fait, nous allons pouvoir déplier l'Histoire en question. Seulement voilà, j'étais presque embarrassé par votre question de la semaine dernière qui pose par ailleurs le rapport du rôle de l'Histoire dans la Littérature. Cet embarras est venu de la manière que vous avez eue d'oublier les hommes et de ramener la défaite française à la Ligne Maginot, sans oublier surtout de rappeler que les Allemands étaient entrés "comme dans du beurre". Ah ! ce "comme dans du beurre", on n'imagine pas le mal que ça a fait. L'expression n'est pas suffisamment moderne pour venir de vous. Il faut croire qu'elle est remontée jusqu'à vous, de génération en génération, de la manière la plus sournoise possible. La famille est une source inépuisable de lieux communs. La famille est même LE lieu commun où l'on brasse tous ensemble la légende. Alors, pour premier élément de réponse : peu de romans sont écrits sur les défaites, surtout pas *L'Iliade* qui est le chant de la victoire des Grecs sur les Troyens, comme vous le savez. Citons au moins un livre, qui n'est pas un roman, mais un recueil de nouvelles autour de la guerre de 1870, *Sueur de sang* de Léon Bloy. À mettre au niveau des plus grands textes de la littérature française, mais que les lecteurs et les critiques de son temps n'ont pas vraiment apprécié et que ceux d'aujourd'hui, à part quelques universitaires, ne connaissent pas vraiment. Mais il y a pire qu'une défaite pour empêcher la littérature, il y a le mensonge, et plus particulièrement le mensonge historique. Pouvons-nous, aujourd'hui, réellement aborder cette question, nous qui sommes abreuvés toute la journée par le chapelet de mensonges qu'égrainent nos hommes politiques à la télévision et partout ? Les exemples ne sont pas nombreux, ils sont permanents. Le mensonge politique est devenu une rhétorique, un sport, presque ! Et nous avons fini par le supporter comme un divertissement. Alors, sommes-nous encore capables de lui résister, d'en mesurer les effets pervers et donc nécessairement désastreux ? Si nous ne supportions pas le mensonge politique, nous serions tous dans la rue tous les jours. Les rues sont désertes. L'antique cire qui aurait pu nous aider au moins à nous boucher les oreilles a fondu ; et si nous étions aujourd'hui les marins d'Ulysse, il serait inutile qu'il s'attachât au mât de son navire parce que nous ne résisterions pas au chant trompeur des sirènes ; et plus amusés que fascinés, nous conduirions le héros jusqu'au rivage où il serait dévoré. Le mensonge est puissant, il tue ce que nous avons de plus cher. (*Il prend un temps pour laisser remonter en lui l'image de son père, ni vivant ni mort, juste sous la forme si particulière du souvenir.*) J'ai donc décidé de vous parler de l'inimaginable Maginot et du mensonge historique. Le plus simple est de commencer par ce que je connais, puisque je ne suis pas historien. Je vais commencer par le souvenir de mon père. C'est un chemin. Nous verrons bien où il nous mènera. Mon père fut affecté au fort de Schoenenbourg, le 11 mars 1940, un des quarante forts érigés sur la Ligne Maginot. Et pourtant il ne m'a jamais parlé de cette épopée, parce que ce fut une épopée, qui dura un peu moins de temps que la cinquantaine de jours décrits par Homère dans *L'Iliade,* même moins d'un mois, ce fameux mois de juin 1940. Douze jours à peine. Le plus étrange, c'est que personne ne s'est interrogé sur le silence de mon père ; pas plus que l'ensemble des Français sur le silence, pourtant effroyable, de ces milliers de soldats du front de l'Est quand ils sont rentrés chez eux, souvent après plusieurs années de captivité. Comme le silence est souvent pris pour l'expression de la culpabilité, il arrange tout le monde. On oublie toujours qu'il peut être le résultat de l'injustice et de la résignation ; pire encore, la preuve incontestable de ce qui est déjà mort. Difficile de faire la part des choses. Peut-être ne l'aurais-je jamais faite si une fois, une seule fois, mon père n'avait évoqué la Ligne Maginot, juste évoquée, timidement, sans héroïsme surtout. Ces hommes, comme mon père, avaient le don de s'effacer. Ils disparaissaient, sans que cela n'inquiète personne. Je me souviens quand même de ce jour parce que j'avais marqué ce moment unique, à ma façon. Je devais avoir six ou sept ans, et au lieu de *Ligne Maginot*, je compris « *l'imaginot* ». C'est ce mot qui, dans ma mémoire, est resté comme un signet. (*Il n'aime rien de plus que ces mots d'une justesse implacables qui arrivent dans sa bouche, comme le mot signet ; mais il doit absolument les mesurer au souvenir. À ce moment-là, tous ses étudiants peuvent voir son sourire d'enfant remonter sous sa peau pour éclairer son visage d'homme.*)... Oh, oui, il faut faire confiance à ce que les oreilles d'enfants transforment. Elles sont suffisamment innocentes pour entendre les secrets, aussi clairement que les oreilles d'ânes des psychanalystes. L'avantage des secrets, à la différence des mystères, c'est qu'ils suintent et se signalent par ce suintement. D'ailleurs, secret est le même mot que sécrétion. Donc, pourquoi *l'imaginot* ? Surtout que mon *Imaginot* avait fait rire, autant que la défaite de l'Armée française, qui, elle, fait rire encore. N'allons-nous pas jusqu'à dire "se construire une Ligne Maginot" si l'on veut stigmatiser un repli sans courage et parfaitement inutile derrière des barrières illusoires ? Pourtant, avec le temps, je me dis que ce mot que mes oreilles avaient inventé marchait bien avec ce rêve de béton armé né de l'imagination d'un homme qui s'appelait André Maginot ; mais j'ai compris aussi pourquoi ce néologisme ne fonctionnait pas avec les rires que provoquait ce souvenir et la défaite qui lui est associée dans la mémoire populaire. Je l'ai compris après une visite à Schoenenbourg il y a longtemps. La mémoire populaire est riche et puissante – la preuve, elle est remontée jusqu'à vous – mais elle n'est pas toujours fiable, surtout quand elle n'est rien d'autre que le transmetteur d'un mensonge et la trace, presque indélébile, que la propagande politique a volontairement laissée dans l'Histoire. On ne sait plus d'où cela vient et l'on croit dur comme fer – puisque nous pensons tous la même chose – que c'est la vérité toute nue. C'est le principe de la rumeur, mais venue du sommet, celle-ci. D'un autre côté, on peut aussi se dire qu'il n'y a pas tant de choses que ça dans la guerre qui fassent rire. Curieusement, le cinéma s'est beaucoup amusé de cette défaite, à la différence de la littérature, peut-être parce que le cinéma est plus populaire que la littérature ? Est-ce à dire que le cinéma a moins de conscience politique et historique, je ne crois pas. Et puis quoi de mieux qu'un bouc émissaire pour se payer une franche rigolade ; et quel meilleur bouc émissaire, après une guerre infâme et inutile, comme le sont toutes les guerres (même si la tentation est grande de rappeler quelquefois son utilité économique, ou démographique, ou sociale ou les trois à la fois), quel meilleur bouc émissaire, donc, que l'Armée française, surtout quand on veut exalter l'héroïsme d'une France résistante, même tardive ? Quoi de mieux que de ridiculiser un projet pharaonique pour faire triompher, en contrepoint, la victoire de la Résistance : une poignée de jeunes gens merveilleux, à peine armés, et sans aucune formation pour se battre ; à l'image de *l'Henri V* de Shakespeare qui exalte l'idée que ce n'est pas le nombre qui compte pour vaincre, mais la force de conviction d'un seul homme à soulever de son tombeau une troupe de va-nu-pieds exsangues pour les conduire à la victoire d'Azincourt. Tout cela est vrai. Tout cela est incontestable. En revanche, l'histoire de la Ligne Maginot est fausse. C'est LE mensonge politique qui n'en finit pas et dont on ne mesure ni l'onde de choc, ni les dégâts qu'il occasionne dans la vie des hommes par la suite, et sur toute une société, même des générations plus tard. (*Il prend un temps. On aurait pu croire à une manœuvre de sa part pour captiver son auditoire ; mais non, il marche jusqu'à la fenêtre, regarde le ciel qui est toujours d'azur, il pense à sa grand-mère, aux siècles, à la peau. Il ne peut s'empêcher de se dire que les morts parlent avec lui.)*

« Oui, je vais trop vite. Comment vous faire toucher au plus près ce mensonge si vous ne connaissez pas l'idéal qui a présidé à cette épopée. Cette ligne de fortifications fut d'abord un rêve avant d'être un projet, un rêve né juste après la victoire de 1918 qui, au fond, ne garantissait rien, à part la fin des combats et le retour dans leurs familles de soldats épuisés et bien amochés dans leurs corps ou dans leurs têtes. Sans les alliés d'outre-Manche et d'outre-Atlantique, nous l'aurions aussi perdue, cette guerre des hommes et des tranchées. Maginot le sait, comme il sait que le prestige militaire français en a déjà pris un sérieux coup dans l'aile. Il suffisait de voir à quelle vitesse on érigea, pendant toute la décennie qui suivit, des monuments aux morts sur les places de toutes les villes et de tous les villages de France, même du plus petit, pour comprendre à quel point les Français condamnaient cette guerre et surtout l'idée de la guerre. *À eux la gloire, à nous le souvenir*, avaient fait écrire les veuves de guerre sur le monument aux morts du village où je suis né. "À eux la Gloire", même si nous savons ce qu'il en est de la gloire après la mort, grâce à Achille, le plus vaillant des soldats, qui s'en plaint à Ulysse venu lui rendre visite dans l'outre-Monde. Rappelez-vous, il lui dit : "*Ne tente pas de me consoler du trépas, j'aimerais mieux servir sur la terre un indigent, que d'être roi chez les morts.*" Cette gloire, c'est-à-dire cette royauté dans le ciel qu'on lui fait sur terre, n'a pas d'autre objet que de soutenir ceux qui l'ont aimé, puisque dans "à nous le souvenir", il faut entendre "à nous le chagrin et la douleur à perpétuité". Maginot sait que ces mots sont un cri, que l'on peut encore entendre, et que l'on entendra encore longtemps, à condition de ne pas se garer devant, ou de ne pas faire pisser son chien dessus, comme si ces statuaires n'étaient plus qu'un décor, un peu comme le sont devenus les beaux arbres de la Liberté plantés en 1789, ces gros marronniers que l'on abat aujourd'hui, les uns après les autres, au lieu de les haubaner, et de les vénérer comme des totems. Saviez-vous que les marronniers sont les premiers arbres à verdir pour annoncer le printemps ? Pourtant, la pierre taillée qui crie la douleur d'un peuple et des mères, surtout des mères, est un phénomène unique dans l'histoire de notre pays. Il ne fallait pas que ça recommence, du moins pas de la même manière. "De la même manière", cela voulait dire très clairement "sans conduire nos enfants à l'abattoir". La boucherie est un euphémisme. Parce que ça allait recommencer. Ça ne faisait aucun doute pour personne, et encore moins pour André Maginot. Il pensait que les Allemands pourraient peut-être supporter la défaite ; mais il doutait qu'ils puissent supporter l'humiliation qu'ils venaient d'endurer pendant l'occupation de la Ruhr, les pillages, les saccages, les viols et les assassinats. Ça aussi, l'occupation de la Ruhr, il faudra en parler un jour, ça aussi, la littérature ne s'en est pas emparée, ça aussi ce n'est pas au programme des livres d'histoire. Le silence de la Ruhr est bien plus lourd que le silence qui a entouré Vichy plus tard. Alors on peut toujours se dire que s'il y avait moins de non-dits, moins de volonté de taire, moins ce besoin de dissimuler la vérité dans notre histoire du XXe siècle, peut-être aurions-nous moins besoin de parler de nous-mêmes dans la littérature, comme seul sujet. Les écrivains reniflent le mensonge avant tout et ils s'en écartent. Le "Je" de l'autofiction, si souvent décrié, n'est qu'un symptôme qu'il faudrait mieux analyser. Encore faudrait-il nous souvenir avec sincérité des faits, même aussi lointains, alors que nous ne sommes même pas foutus de nous souvenir des tortures en Algérie. Probablement que ceci est une autre histoire. Probablement aussi que ceci procède du même intérêt politique qui joue toujours contre la vérité historique qui, elle, se borne aux faits, aux documents et aux témoignages. Encore faut-il ne pas museler les témoins de leur vivant : parce que chaque témoin qui n'a pas parlé, à qui l'on n'a pas laissé le temps de raconter son expérience, une fois mort, est équivalent à un grand historien qu'on aurait perdu à tout jamais. (*Bien sûr, il pense à son père, à la fin de son père, mais sans colère, avec une tendresse qu'il est capable d'exprimer aujourd'hui, sans retenue dans ses pensées, et qu'il aurait tant aimé lui manifester dans son enfance, cette enfance qui est privée de tout.*) J'ai appris récemment que le premier reportage fait sur la guerre d'Algérie, pour une émission qui n'existe plus, "Cinq colonnes à la Une", était une mise en scène. Comme le journaliste et le cameraman n'avaient pas le droit de filmer les vrais combats, ils ont pris la liberté de les reconstituer. C'était du cinéma. Alors, certains aujourd'hui s'érigent contre cela, et crient "au scandale ou à la manipulation", mais ils ont tort, ou alors ils ne connaissent pas la puissance de la littérature. Parce que c'est la preuve, incontestable, que la fiction peut dire des vérités que l'information officielle s'obstine à cacher. La fiction n'est pas un mensonge ; ou, pour paraphraser Cocteau, "elle est un mensonge qui dit toujours la vérité". Dès lors qu'on ne veut pas montrer, démontrer, donc faire apparaître le monstre de la vérité, on favorise le mensonge absolu, celui qui tue toute volonté de penser et de faire penser. Vous voyez que le roman a un rôle essentiel à jouer. Il peut être le réceptacle de ce suintement.

« Pardon de ce ricochet dans le temps, et revenons à cette fin de la guerre de 14. Si à cette époque on recommençait à envisager la guerre, le système de défense et l'armée, sans rien changer, il n'y avait aucune raison que les horreurs ne recommencent pas. Vaste territoire de réflexion à partir d'une pensée aussi simple. Alors, je suppose que les militaires ont commencé par énumérer ce qui ne devait plus se produire jamais, en cas de guerre. En premier, il fallait en finir avec la guerre chimique, avec les gaz de Verdun en pleine gueule, auxquels personne ne s'attendait, ces gaz qui étouffent et qui brûlent et qui vous font cracher vos poumons et vos viscères en une bile jaunâtre qui pue le soufre. La suite vint très naturellement : fini, les tranchées qui ne sont que des tombeaux ; fini, la boue des champs de bataille où l'on s'enlise en marchant comme des morts dans la glaise qui vous tire par les godillots ; fini, les champs d'honneur qui ne sont que des cimetières à ciel ouvert ; fini, le massacre des soldats innocents qui ne sont que des enfants, comme tous les innocents, et qui n'ont eu ni le temps de faire leurs adieux, ni le temps de faire leur prière, parce qu'avant de mourir tous les soldats appellent leurs mères (même les orphelins), et tous se mettent à prier (même les plus athées), et avec une ferveur dont seuls les martyrs sont capables. Et puis "la der des ders" ne s'est pas passée à l'ancienne, uniquement sur les champs de bataille, comme on le croit communément ; il y a eu aussi une occupation allemande, partielle mais terrifiante. De ça aussi on parle peu. Donc, fini, l'occupation d'une ville comme Lille qui essuya des pertes civiles considérables : des cadavres plein les rues, oui plein ! Des enfants, des femmes et des vieillards qui ont été affamés, broyés, déchiquetés jusqu'aux cœurs pour satisfaire l'appétit féroce de l'occupant. Les Anglais qui sont entrés dans la ville pour la libérer, le 17 octobre 1918, ne s'en sont pas remis. Ils pleuraient et vomissaient devant l'horreur et la puanteur des corps décharnés jetés aux chiens dans les caniveaux comme des sacs d'os après le festin des ogres allemands ; sur ça aussi on a peu écrit. Fini, enfin, d'appeler à notre rescousse ces Américains si mal élevés qui refusaient que leurs soldats noirs participent aux célébrations de la victoire. Saviez-vous que ce sont les paysans français qui sont allés chercher les soldats noirs dans leurs casernes où leurs maîtres blancs les avaient bouclés à double tour. Et, malgré le règlement américain, ces mêmes paysans ont jeté ces "esclaves" dans les bras de leurs filles pour danser sur les places de tous les villages. Ils ont aimé l'accordéon, ces Noirs qui ne connaissaient que le jazz. Pourquoi croyez-vous que la France fut une terre bénie pour les jazzmen qui arrivèrent à Paris au moment où Maginot justement réfléchissait à la façon d'éviter que le massacre recommence un jour ? Le jazz, c'est la musique de l'idéal, le blues, c'est la musique du spleen. Ça jouait du jazz partout ; et l'armée cherchait aussi, à sa façon, à faire écho à cet idéal. Enfin, toutes ces raisons additionnées donnaient une réponse claire : il fallait éviter qu'un jour autant d'hommes meurent pour sauver leur pays. Après tout, ce n'est pas aux hommes de sauver leurs pays, c'est aux gouvernements. Maginot en était convaincu. Alors, il a fait travailler son imagination, comme un artiste le ferait. Il a créé un monde et un système. Il croyait en la technologie, en la science et en l'intelligence. Une seule chose dans cette guerre prochaine ne changerait pas si l'ennemi se déclarait : il serait détruit. Mais il devait être détruit plus vite, histoire de lui enlever l'envie de s'y frotter une prochaine fois et l'obliger à rester sagement chez lui à s'occuper de sa femme et de ses gosses. Pour cela, il fallait un projet militaire stupéfiant, une machine de guerre invincible. À cette époque, il n'y avait encore qu'une seule conception de l'armée, que j'appelle "l'école de Léonard de Vinci" à cause de ses inventions de machines de guerre et d'armes qui ont nourri et conforté la grande idée de l'artillerie. L'artillerie, ce n'est rien d'autre que la sophistication des armes ; mais on oublie toujours que ce sont des hommes qui se tiennent derrière chacune d'elles. Et puis, après la Première Guerre mondiale, on pouvait quand même douter de l'efficacité de l'artillerie dans une guerre moderne, elle, qui n'avait pas réussi à s'imposer contre les gaz, la première arme chimique. Il fallait trouver quelque chose de plus, quelque chose de mieux. Maginot refusait de participer à la surenchère des armes chimiques, il ne voulait pas de cette saloperie destructrice, sournoise, invisible presque, et indigne pour des militaires. Alors, il a imaginé autre chose, un muscle de technologies, un muscle tendu du nord au sud, de la Belgique à l'Italie, qui barrerait la route à l'ennemi, et l'empêcherait d'entrer. L'idée d'un mur comme le mur d'Hadrien, ou la muraille de Chine, commença à prendre forme. Mais le plus grand exemple qu'il pouvait trouver était ici, sur le territoire français et remontait du fond des siècles, les châteaux forts et les fortifications. Vauban, dont les édifices de défense étaient abandonnés et quasiment en ruine depuis longtemps, est sûrement venu lui chuchoter ses secrets et ses rêves d'avenir aux oreilles. Ce n'est pas possible autrement. Mais bien plus que la pierre, c'est l'invention du béton qui donnera une densité à son rêve et le rendra réalisable. Cela allait coûter une fortune. Peut-être pas tant que ça. Une fois les calculs faits, les fortifications en béton armé coûteraient dix fois moins cher que n'avait coûté la Première Guerre mondiale en argent et en vies humaines. Il était sûr de lui. Il proclamait partout : "Mieux valait un mur de béton qu'un mur de poitrines." Il passa son temps à asséner ce principe. Ce fut son seul credo. Mais tout le monde ne pensait pas comme lui. Il lui fallut convaincre les politiques de cette époque dont la capacité à se projeter dans le futur se limitait, comme aujourd'hui, au temps de leurs mandats. Maginot, nommé ministre de la Guerre, avait aussi été un militaire décoré pour sa bravoure à Verdun en 1916. Lui, il s'est pris les gaz en pleine gueule, lui, il a vu ses copains sauter tout près de lui, mais, à la différence d'Apollinaire qui avait vu des bouquets dans les explosions des obus, lui vit les corps et la chair de ses copains gicler sur son uniforme en gerbes ensanglantées. Comme il est originaire de Lorraine, vous pensez s'il connaît parfaitement bien l'ennemi ; il connaît leur dieu Wotan et les guerrières Walkyries. Il pense que ces forces mythiques et populaires du Nord vont se déchaîner. Il veut la paix. Il veut qu'on nous foute la paix. Mais il sait aussi que les

Allemands sont deux fois plus nombreux que les Français. Et il sait que deux hommes affamés et moribonds contre un costaud bien nourri peuvent le tuer en un rien de temps et le dévorer. C'est une histoire de ventre.

« Il faut donc être plus fort que le nombre. Pas mieux nourri, ni plus rusé, mais plus solide. Il faut une guerre qui se passe aux frontières, qui empêche l'ennemi d'entrer et garantisse la victoire en un temps record. Rien de plus. Toujours avec cette idée, à peine dissimulée, que ça ne serait pas si mal de se passer des Yankees une seconde fois. Il ne pense plus qu'à ce mur de béton armé. Il a besoin de temps. Et le temps, ce sont les Allemands qui le lui donnent. La toute jeune République de Weimar, socialiste, a, elle aussi, besoin de temps avant de se réarmer. Écrasée par le poids d'une dette de guerre colossale et qu'elle n'arrive pas à honorer, elle doit d'abord travailler à reconstruire ce pays défiguré, créer une unité nationale solide, et par la même occasion faire assassiner la gênante Rosa Luxembourg. Ça laissait quand même un certain temps au génie français pour la réflexion et la construction, convaincu que la meilleure manière de gagner la guerre, c'est de l'éviter. Maginot a la conviction qu'il n'y aura pas de paix durable sans un système de défense inviolable. C'est un visionnaire. Et comme tous les visionnaires, sa conviction est plus forte que les résistances qu'il rencontre. Heureusement, il a lu Kant. Il sait que la Colombe a besoin de l'air contre lequel elle résiste de toutes ses forces pour pouvoir voler, sinon elle s'écrase au sol, pire, elle ne décolle même pas ! C'est tout le paradoxe. Et, plus Maginot rencontre de résistance, plus il affine son projet. On peut rire de lui, mais on ne peut pas rire de Vauban qui l'inspire. Il rappelle que c'est ce marquis de province, avec sa grosse tache noire sur la joue et sa perruque poudrée, qui a doté la France de dizaines de muscles de pierres qui l'ont rendu inviolable durant tout le règne de Louis XIV. Maginot veut être le nouveau Vauban. Il a un argument imparable : le béton. Parce qu'il sait, pour l'avoir longuement étudié et fait expérimenter, que ni les gaz de combat, ni les bombes connues à ce jour ne pourront venir à bout de ce matériau. Le béton, c'est la réponse à tous les maux de la grande guerre. Le petit homme de Lorraine, avec sa belle moustache frisée et son regard clair, continue son assaut des politiques qui tiennent les cordons de la bourse. Il se bat avec les ministres, dont il est, il se prend l'Assemblée de plein fouet, mais ne renonce jamais. À force de s'égosiller, il réussit à faire capituler presque tous les députés qu'il a travaillés au corps, les uns après les autres. Son projet de fortifications à l'Est, du Nord jusqu'à l'Italie, est adopté. Les travaux peuvent commencer. C'est un miracle.

« Le premier trou, pour couler le premier pilier de béton de plus de soixante mètres de profondeur, est creusé en 1928. Puis, ça ralentit. Les politiques hésitent à nouveau après la mort de Maginot, survenue beaucoup trop tôt, même si les funérailles furent nationales. Heureusement, d'autres prennent le relais. Des militaires, tous spécialisés dans un domaine particulier : l'artillerie, l'infanterie, le génie, la chimie, la physique, l'électromécanique, la médecine, l'ingénierie, la technologie, les ondes. Les travaux reprennent avec plus de vigueur encore. Entre 1919 et 1930, les Années folles l'étaient vraiment. Elles sont le socle de la modernité (mais d'une modernité conçue pour aider les peuples et les nations, rien à voir avec celle de la consommation). Tout le monde se mit au travail : d'un côté, la jeunesse inventait des formes nouvelles à Montparnasse, créait dans tous les domaines, dansait, mettait à mal les anciennes valeurs et la morale bourgeoise pour prôner des valeurs de liberté totale et d'égalité absolue ; et, de l'autre, les militaires, en merveilleux paranoïaques, creusaient, construisaient, érigeaient une forteresse pour défendre ces mêmes valeurs nouvelles, simulaient l'invasion et la déjouaient dans des jeux grandeur nature dont ils ressortaient toujours triomphants.

« Sur le terrain, le projet prend sa démesure. Pas une seule ligne, mais quatre, quatre barrages qui s'enfoncent, les uns derrière les autres, sur plusieurs kilomètres. Du jamais-vu ! La grande trouvaille de Maginot, c'est que rien ou presque rien ne doit être visible de l'extérieur. Il a conçu une forteresse non plus en surface, mais sous la terre. Dans les champs, on ne devait voir que des espèces de cloches blindées comme de gros champignons d'acier, et, sous chaque champignon, une ville souterraine, une machine de guerre redoutable et invincible, sur trente mètres de profondeur, une ville militarisée pouvant contenir et protéger, sous terre, des dizaines de milliers de soldats, une usine électrique d'une puissance de millions de watts, un système de ventilation qui permet de transformer l'air empoisonné par les gaz pour le rendre respirable, des cuisines équipées, des chambrées agréables pour tenir des mois sans voir le jour, un cinéma pour distraire les soldats, un hôpital et des salles d'opérations à la pointe de la technologie chirurgicale, un système radio performant, des stocks de nourriture et de munitions pour tenir un siège, des rails et des trains en sous-sol pour communiquer d'un fort à l'autre et se fournir en munitions, une issue de secours, des égouts, et surtout d'importantes réserves d'eau. Il fallait de l'eau en abondance. Les militaires se souviennent de Vaux près de Verdun, où, malgré la bravoure des soldats et leur hargne, le manque d'eau avait fini par les rendre fous en plein été 1916. Une cité idéale à l'intérieur de la terre, comme le Capitaine Némo l'avait imaginée au fond des mers. Imaginez la tête des soldats qui sont entrés là-dedans pour peu qu'ils aient lu Jules Verne dans leur enfance. Le roman d'anticipation du XIXe siècle était devenu, ici, une réalité du XXe. C'est *Métropolis* reposant sur des piliers de béton de plusieurs milliers de tonnes. Croyez-moi, il faut faire le voyage jusqu'à Schoenenbourg pour se rendre compte. Schoenenbourg, ce n'est pas moderne, c'est futuriste. Le chantier fut colossal. Vauban exultait dans les cieux. Sa conception de la guerre et de la défense, longtemps abandonnée, puis oubliée au profit de l'artillerie, reprenait du service et volait au secours du XXe siècle. Il devait danser, le marquis, sur les remparts du fort de Briançon ou de Saint-Malo ou plutôt sur le fort de Balaguier à Toulon où il fait un peu plus chaud. Les fantômes, je le sais, sont comme les soldats, ils ont souvent froid.

« Une fois la guerre déclarée, les choses se passent exactement comme prévu : ça ne vient pas par l'Est. Les nazis connaissent le projet depuis longtemps ; les Français ne l'ont pas caché, au contraire ; et les espions ont tout confirmé. L'artillerie allemande sait qu'elle n'a aucune chance. La Ligne Maginot fut, d'une certaine façon, la première arme de dissuasion.

« Alors, ça vient bien par le Nord, ça vient par la Belgique qui avait refusé l'extension de la fortification Maginot à sa frontière, préférant choisir la neutralité, convaincue qu'elle protégerait mieux ses sujets de cette manière. Les militaires français, eux, savaient qu'Hitler serait obligé de transgresser la neutralité des pays du Nord pour tenter d'envahir la France. Aucune surprise ! Ils avaient fait de sérieuses répétitions en 37 et 38 et avaient lu *Mein Kampf*. C'était écrit. Tout est écrit dans la bible du Führer. Une aubaine, cette transgression de la neutralité ! L'Armée française peut voler au secours de la Belgique, non pour la soumettre, mais pour obliger les Allemands à retenter le coup par l'Est et les écraser. Tout était prévu, tout était prêt. L'artillerie part à l'assaut du Nord pour vaincre. Il n'y avait peut-être pas assez de chars pour défendre toutes les frontières en France – la ligne Maginot était là pour ça – mais suffisamment pour défendre la frontière belge. Le défaut des militaires, c'est qu'ils sont disciplinés, obéissants et qu'ils attendent les ordres, surtout quand il s'agit de lâcher l'artillerie lourde. En attendant les ordres, ils colmatent, çà et là, les puissantes percées allemandes, mais les ordres pour lancer des contre-attaques avec les blindés ne viennent pas tout de suite. Les militaires attendent en vain. Les décisions ne sont pas prises dans les hautes sphères du Haut Commandement et de la politique. On prend son temps en haut lieu. Comment se fait-il que ce ne soit jamais vraiment les militaires qui prennent les commandes en cas de guerre ? Comment se fait-il que, même soixante-dix ans plus tard, les Américains n'écoutent pas le général Powell qui connaît la guerre et qui sait le désastre à venir ? Et pourquoi ont-ils écouté ce Rumsfeld qui n'y connaissait rien et qui leur mentait à longueur de temps ? Comment une aussi grande nation peut-elle être pendue aux lèvres d'un incompétent qui ose poser, en pleine offensive irakienne, devant l'objectif d'une appareil-photo, un sparadrap au doigt, sa seule blessure de guerre ? Toujours la même histoire qui se répète, toujours les mêmes abus, toujours les mêmes incompétences, toujours les mêmes intérêts cachés, et toujours les mêmes à mourir. En 1940, au Nord, l'Armée française est en déroute, non faute de moyens, comme on l'a si souvent dit, ni d'hommes ; mais faute d'ordres qui ne sont pas donnés aux bons moments, ou pas donnés du tout. *(Il sent qu'il doit se calmer : quelque chose en lui fait résonner dans sa voix des accents de colère qu'il juge lui-même déplacés ; sa colère vient davantage de ce qui va suivre que de ce qu'il vient de dire. Il prend un temps, à nouveau, pour mieux revenir à ses étudiants.)*

« Alors dans tout cela, que devient la Ligne Maginot, tandis que les soldats de Schoenenbourg, comme ceux des autres forts du front Est, apprennent la défaite par la radio ? Que s'est-il passé au juste ?… Vous, vous le racontez ainsi, encore aujourd'hui : *les Allemands sont entrés comme dans du beurre ! Tout cela était inutile. Tout cela était une plaisanterie. Tout cela est la honte de l'Armée française.* On en rit encore soixante-dix ans plus tard. On finirait même par croire que ces fortifications ont été conçues et construites par Bouvard et Pécuchet. Sauf que tout cela est un des plus grands mensonges de l'Histoire du XXe siècle. Tout cela est un silence de l'Histoire, un de plus, sur lequel de Gaulle lui-même s'est bien gardé de dire la vérité, comme il s'est bien gardé de dénoncer Vichy, trouvant préférable de jeter, comme il l'a dit, le voile sur cette partie infâme de notre histoire, jetant du même coup le voile sur l'histoire de l'Armée française d'avant Vichy, à laquelle il avait pourtant appartenu.

« La guerre va quand même reprendre, et, à l'Est, cette fois-ci. Après l'invasion allemande par le Nord, Hitler, excité par sa toute-puissance, n'a pas pu résister à l'idée justement de repasser par la Ligne Maginot qu'il avait tant redoutée. Il voulait fabriquer un mythe, il voulait faire croire que les Walkyries wagnériennes en blindés avaient vaincu cette Ligne

Maginot que tout le monde pensait invincible. On l'imagine se frottant les mains et sautillant comme un gamin à cette idée, comme il avait sautillé, avant d'entrer dans le wagon à Compiègne pour signer la défaite française, le même wagon où l'Armée allemande avait signé sa propre défaite en 1918, le wagon de la honte. Il n'aurait jamais dû sautiller et narguer les soldats français. C'était compter sans leur sincérité de soldats des Années folles, et sur le patriotisme que leurs pères vénérés, les poilus, avaient exacerbé, sans avoir eu besoin de rien faire. Les soldats de 1940 se souvenaient de Verdun et savaient tous, dans leur cœur, que le mot Patrie signifie "le pays des pères". Le patriote est celui qui vole au secours de son père. Et quand le père qui fut si héroïque est en danger, même symboliquement, comment le laisser mourir, sans avoir combattu pour lui ? On a seulement fait croire qu'ils ne l'avaient pas fait, alors que, pendant des jours et des nuits, les fils des héros se sont battus, sans relâche, et sans attendre les ordres des politiques. Ils ont désobéi au nom de leurs pères. Ils sont entrés en résistance. Tout ce travail de maçon qui avait occupé plus de dix ans, toute cette pensée militaire, humaniste et géniale en mémoire des pères tombés à Verdun, qui les avait éblouis dès leur arrivée, ne pouvait s'arrêter là, sur la défaite d'une bataille en Belgique où ils n'étaient pas. Ils auraient très bien pu rentrer chez eux, sans se battre et sans subir la moindre des représailles. Mais non, ils sont restés, ils ont résisté et ils ont vaincu. Vaincu ! Sans quasiment aucune perte de leur côté, trois fois rien.

Pas seulement Schoenenbourg, tous les forts imaginés par Maginot résistèrent à tous les assauts ennemis, aux canons de 420 mm et même aux bombardements par les avions Stuka. L'Armée française, en cette deuxième partie du mois de juin 1940, a infligé des pertes colossales aux Allemands. Personne n'a eu besoin de l'oublier, puisque personne ne l'a su : l'histoire officielle française ne l'a pas retenu, donnant ainsi corps au mythe de l'écrasante puissance hitlérienne.

« Je suis allé plusieurs fois visiter le fort de Schoenenbourg pour écouter ce silence de la plaine. À un moment, il faut renoncer aux mots et donner les chiffres. Seulement 22 000 soldats français ont vaincu 240 000 Allemands en Alsace et en Lorraine ; et seulement 85 000 autres soldats français alpins dans leurs champignons de béton ont arrêté près de 650 000 Allemands et Italiens. Pas un ennemi n'est passé par la Ligne Maginot, tant que des soldats sont restés à leurs postes. Pas un ! Et quand l'armistice entra en vigueur le 25 juin, les soldats ne capitulèrent pas pour autant, et continuèrent à se battre comme des chiens ou comme des dieux. Ils voulurent vaincre ici, puisque ailleurs tout était déjà perdu, uniquement pour l'honneur de leurs pères et surtout pour faire la preuve non pas de leur courage (ils étaient bien trop humbles pour ça), mais de l'efficacité du plus grand projet de fortifications jamais pensé, ni réalisé, ni égalé en Europe et qui les avait rendus invincibles eux-mêmes. Le muscle de béton avait parfaitement joué son rôle et tenu ses promesses, et même au-delà.

Si le Haut Commandement avait fait son travail au Nord, donné les ordres aux bons moments, ou si la Belgique avait opté pour un prolongement de la Ligne Maginot sur ses frontières à l'Est au lieu de préférer la naïve neutralité qui leur a coûté beaucoup plus cher en vies humaines, le cours de l'histoire eût été tout autre. Mais il est inutile d'imaginer le passé, puisqu'on ne peut fondamentalement n'imaginer que l'avenir.

« Alors pourquoi la capitulation ? Pourquoi, puisqu'ils dominaient la situation ? Parce qu'ils ont bien capitulé les soldats français, ils se sont rendus ; ça, c'est une vérité historique. Mais ils n'ont pas capitulé devant la puissance allemande. Leur reddition a été exigée par le Haut Commandement français. Pour une fois, ils n'ont pas mis longtemps à donner cet ordre. Les soldats de la Ligne Maginot ont été les premiers livrés aux Allemands par les autorités françaises, laissant ainsi entrer triomphalement l'Armée allemande. Comme dans du beurre. *(Il était épuisé comme s'il avait couru un Marathon à travers le temps. La fatigue oblige à un certain relâchement, sa voix s'affaiblit, il prend juste le temps de retrouver une respiration normale pour ne pas être débordée par l'émotion.)*... Quand les soldats du fort de Shoenenbourg sont remontés à la surface de la terre pour déposer les armes, on peut imaginer aisément ce qu'ils ont ressenti, surtout quand ils ont dû se constituer prisonniers. Ce fut leur punition. La punition des rebelles. Ils ont tout accepté puisqu'ils n'avaient pas déshonoré leurs pères. Aucun d'entre eux n'a dénoncé l'injustice, ni dit sa tristesse, ni sa colère, et encore moins sa fierté. Chacun savait qu'il allait devoir porter le poids exorbitant du mensonge et de la honte, pensant sûrement qu'à eux tous le poids du fardeau se répartirait et serait moins lourd à porter ; impossible de croire qu'il allait se multiplier. Puis vint l'épouvantable silence. À leur retour, on aurait pu croire que le calme était revenu dans l'esprit des soldats français, qu'ils avaient eu le temps, en captivité, de reprendre leur respiration normalement. Mais comment respirer quand on est, physiquement et psychiquement, bâillonné par le mensonge historique ? Voilà comment les premiers vainqueurs des Allemands, les premiers héros de cette guerre, n'ont pas eu d'autre choix que de supporter dans leurs maisons, ou dans les regards de leurs fils, le poids de la honte que méritent seuls les vaincus. C'est ainsi, et pas autrement, que la conscience de la Patrie est morte dans notre pays. Et on a laissé vivre ces hommes magnifiques dans le déshonneur ou, pire encore, dans la pitié qu'ils inspiraient quand les rires finissaient par être gênants à la fin d'un banquet de famille bien arrosé. Certains sont encore vivants aujourd'hui, on peut les trouver dans les couloirs des hospices, poussant des déambulateurs. Mais qui entend ce qu'ils racontent la nuit quand ils pleurent et qu'ils se pissent dessus en se souvenant de la fin de *l'imaginot* ? »

Il pense avoir fini. Il sait bien qu'il n'a pas tout à fait répondu à la question, mais à une autre, plus intime. Il regarde encore le ciel par la fenêtre, espérant peut-être un signe, une approbation des siècles. Le ciel s'est couvert tristement. Puis on l'entend ajouter d'une voix claire, lavée de tout désir de convaincre :

« Je crois qu'ils sont morts, là-bas, dans la plaine de Schoenenbourg, sinon comment expliquer qu'ils se sont tus et qu'ils ont emporté dans leurs tombes, bien serrée entre leurs dents, cette vérité qui les étranglait ? Parce que, au-delà de l'humiliation qu'ils avaient subie, cette reddition fut comme un coup de grâce, comme… »

Il prend à nouveau un temps, plus long, non pour chercher ce qu'il va dire, ni pour garrotter une quelconque émotion montée dans sa gorge, mais pour mesurer s'il serait juste de dire la phrase qui lui est venue aussi étrangement qu'un oiseau posé sur son épaule :

… oui, comme s'ils avaient reçu, chacun, une balle dans le cœur. »

Remerciements

Aux hommes de l'ouvrage de Schoenenbourg :

Chef de bataillon Reynier, Lieutenant Larue, Capitaine Gros, Capitaine Cortasse, Capitaine Kieffer, Capitaine Stroh, Lieutenant Brandel, s/lieutenant Audran, Lieutenant Lemeunier, Capitaine François, Lieutenant Pinard, s/lieutenant Peyrou, Lieutenant Lefrou, Lieutenant Micheaud, Lieutenant Schmitt, Lieutenant Colson, s/lieutenant Kieffer, s/lieutenant Mathes, aspirant Fleck

et à tous les soldats qui ont combattu sur la Ligne Maginot.

Mise en pages
PCA
44400 Rezé

CET OUVRAGE
A ÉTÉ ACHEVÉ D'IMPRIMER
SUR ROTO-PAGE
PAR L'IMPRIMERIE FLOCH
À MAYENNE EN MARS 2013

N° d'édition : L.01ELJN000403.A011. N° d'impression : 84418
Dépôt légal : janvier 2012
(Imprimé en France)